La Cabane  Magique

Mary Pope Osborne

L'auteur : Mary Pope Osborne a écrit plus de quarante livres pour la jeunesse, récompensés par de nombreux prix. Elle vit à New York avec son mari, Will, et Bailey, un petit terrier à poils longs. Tous trois aiment retrouver le calme de la nature, dans leur chalet en Pennsylvanie.

L'illustrateur : Philippe Masson, né à Rennes en 1965, est issu d'une famille de marins bretons. Actuellement, il vit à Tours avec son amie et ses deux enfants, Lucas et Mona. Depuis 1997, il réalise les dessins de « Marion Duval » d'Yvan Pommaux pour le magazine *Astrapi*.

Conception et réalisation de la maquette : Isabelle Southgate.
Colorisation de la couverture: Paul Siraudeau.
Suivi éditorial : Karine Sol.

Loi n° 49 956 du 16 juillet 1949
sur les publications destinées à la jeunesse.
ISBN : 2.7470.1774.5
Dépôt légal : juillet 2005

La Cabane Magique

- La **vallée** des **dinosaures**

- Le **mystérieux chevalier**

- Le **secret** de la **pyramide**

- Le **trésor** des **pirates**

BAYARD POCHE

Le mystère de la Cabane magique

Entre vite dans l'étrange cabane du bois de Belleville !

C'est une cabane magique avec des livres, beaucoup de livres...
Il suffit d'en ouvrir un, de prononcer un vœu et aussitôt te voilà propulsé dans les mondes d'autrefois.

N° 1, La vallée des dinosaures

N° 2, Le mystérieux chevalier

N° 3, Le secret de la pyramide

N° 4, Le trésor des pirates

Tu vas vivre des aventures

passionnantes !

Reste à découvrir

qui est le mystérieux propriétaire de la Cabane magique...

À toi de jouer ! Bon voyage !

Léa

Prénom : Léa

Âge : sept ans

Domicile : près du bois de Belleville

Caractère : espiègle et curieuse

Signes particuliers : ne manque jamais une occasion d'entraîner son frère Tom dans des aventures mouvementées, sans se soucier du danger.

T o m

Prénom : Tom

Âge : neuf ans

Domicile : près du bois de Belleville

Caractère : studieux et sérieux

Signes particuliers : aime beaucoup les livres, qui l'aident à se sortir de situations périlleuses.

À Linda et Mallory, qui ont voyagé avec moi
dans la Cabane magique.

Titre original : *Dinosaurs Before Dark*
© Texte, 1992, Mary Pope Osborne.
Publié avec l'autorisation de Random House Children's Books,
un département de Random House, Inc., New York, New York, USA.
Tous droits réservés.
Reproduction même partielle interdite.
© 2002, Bayard Éditions Jeunesse pour la traduction française
et les illustrations.

La Cabane Magique

La vallée des dinosaures

Mary Pope Osborne

Traduit et adapté de l'américain
par Marie-Hélène Delval

Illustré par Philippe Masson

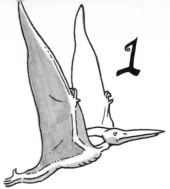

Un soir, au fond des bois...

– Au secours, Tom ! crie Léa. J'ai vu un monstre, là !

– Mais oui, dit Tom. Des monstres, il y en a plein, dans le bois de Belleville !

Tom a l'habitude : sa petite sœur n'arrête pas de raconter des histoires. Elle a beaucoup trop d'imagination pour une fille de sept ans ! Lui, à neuf ans, il s'intéresse uniquement aux choses vraies.

– Cours, Tom, cours ! Le monstre va nous attraper !

Léa s'élance sur le sentier à toutes jambes,

comme si elle était poursuivie par une horrible créature, tandis que Tom continue de marcher tranquillement.

En levant le nez, il voit que le soleil descend derrière les arbres :

– Léa, reviens ! C'est l'heure de rentrer.

Mais Léa a disparu.

– Léa ?

Pas de réponse. Tom appelle plus fort :

– Léa ?

La voix de sa sœur lui parvient du fond d'un fourré :

– Tom ! Tom ! Viens voir !

Le garçon presse le pas en grommelant :

– Qu'est-ce qu'elle a encore inventé, celle-là ?

Il quitte le sentier et s'enfonce dans le bois. La belle lumière d'une fin d'après-midi fait briller les feuilles comme de l'or.

– Vite, Tom ! Viens voir !

Léa est debout au pied d'un chêne immense. Elle pointe le doigt et dit :

– Regarde !

Une échelle de corde ! Une longue échelle de corde pend le long du tronc depuis le sommet de l'arbre.

– Wouah ! s'exclame Tom.

Là-haut, tout là-haut, à demi cachée dans l'épais feuillage, il y a une cabane.

– C'est la plus haute cabane du monde ! murmure Léa.

– Qui a bien pu la construire ? demande Tom. Et comment ça se fait qu'on ne l'ait jamais vue ?

– Alors là, mystère ! Moi, en tout cas, je monte la visiter !

– Non, attends. Elle appartient sûrement à quelqu'un.

– Je jette juste un coup d'œil, dit Léa, déjà hissée sur les premiers barreaux.

– Léa ! Descends de là ! crie Tom. Mais, comme d'habitude, sa sœur n'écoute pas.

– Léa, soupire Tom, il va bientôt faire nuit. Il faut rentrer !

Léa est à la cime du chêne, elle se glisse dans la cabane.

– Léa !

Tom patiente un peu. Au moment où il va appeler de nouveau, la tête de la petite fille apparaît à la fenêtre de la cabane :

– Des livres !

– Quoi ?

– C'est plein de livres, ici !

Des livres ! Tom est un amoureux des livres. Il remonte ses lunettes sur son nez, attrape les deux cordes de l'échelle et commence à grimper.

Un livre sur les dinosaures

Tom émerge de la trappe ouverte dans le plancher de la cabane.

C'est vrai ! Des livres, il y en a partout : des très vieux, racornis et couverts de poussière, et des tout neufs, avec de belles couvertures brillantes.

– Qu'est-ce qu'on voit loin, d'ici ! dit Léa, penchée à la fenêtre.

Tom s'approche pour regarder à son tour. Au-dessous d'eux, les cimes des arbres moutonnent comme un lac vert. Au-delà, on aperçoit les toits de la petite ville, leur

école, la bibliothèque, le jardin public.
Léa s'exclame :
– Et là-bas, c'est chez nous !

Oui, c'est leur maison,
avec ses murs blancs et son
porche de bois, pas plus grande qu'un
jouet. Et Black, le chien des voisins qui

court sur la pelouse, a l'air tout riquiqui.

– Black ! Hou hou ! crie Léa.

– Chut ! fait Tom. Tais-toi ! Si quelqu'un nous entendait !

Le garçon s'accroupit pour regarder les livres.

– Je me demande à qui ils appartiennent, murmure-t-il. Tu as vu, il y a des marque-pages à l'intérieur.

– Moi, j'aime bien celui-ci ! déclare Léa en désignant un album dont la couverture représente un château fort.

– Et celui-là, c'est sur notre région, on dirait.

Tom ouvre le livre à l'endroit du signet.

– Hé ! C'est notre bois, sur cette photo ! Le bois de Belleville !

– Regarde celui-là, s'écrie Léa en tendant à son frère un ouvrage sur les dinosaures. Je suis sûre qu'il va te plaire !

Tom est depuis toujours

un passionné de ces animaux disparus.

Un ruban de soie bleue dépasse d'entre les pages. Tom pose son petit sac à dos et tend la main :

– Montre !

Puis il hésite :

– Non, attends. Ils ne sont pas à nous, ces livres. Je ne sais pas si on a le droit de... Mais, tout en parlant, il s'empare du volume et l'ouvre à la page marquée par le ruban. Une image apparaît, celle d'un reptile volant comme il y en avait sur terre il y a très longtemps. Un ptéranodon.

Tom est fasciné. Il passe son doigt sur le dessin des grandes ailes, semblables à celles des chauves-souris, et soupire :

– Wouah ! Si j'avais la chance de voir une bête comme ça en vrai !

C'est alors qu'un brusque coup de vent agite les branches, les feuilles frémissent.

Tom lève le nez, étonné : il lui a semblé sentir la cabane bouger. Le vent souffle plus fort, il secoue le chêne en hurlant. Et la cabane, lentement, se met à tourner.

– Qu'est-ce qui se passe ? s'affole Tom.

– Viens, crie Léa en tirant son frère par la manche. Dépêche-toi ! On redescend !

21

Mais ils n'en ont pas le temps. La cabane tourne plus vite, encore plus vite, de plus en plus vite. Elle tourbillonne comme une toupie folle.

Pris de vertige, Tom ferme les yeux, il s'agrippe à sa sœur. La cabane va se décrocher, elle va s'envoler, elle va...

Et, soudain, tout s'arrête, tout se calme. La cabane ne bouge plus, le vent ne hurle plus. Tom ouvre les yeux.

La lumière du soleil couchant glisse à l'angle de la fenêtre. Léa est là, à côté de lui. Les livres aussi sont là, et son sac à dos, par terre.

La cabane est toujours en haut d'un chêne. Seulement... Seulement, on dirait que c'est un autre chêne.

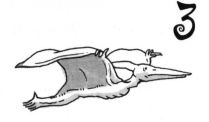

Plongée
dans le passé

À cet instant, Léa pousse un cri strident en montrant la fenêtre :

– Aaaaah ! Un monstre ! Là !

– Arrête un peu avec tes histoires ! grogne son frère. Tu crois que c'est le moment ?

– C'est pas des histoires, Tom !

Le garçon lève les yeux. Mais... Oh non ! Ce n'est pas possible !

Une énorme créature plane au-dessus des arbres. Une bête avec une sorte de crête dure derrière la tête, un long bec pointu et deux larges ailes de chauve-souris ! Un ptéranodon ! Un vrai ! Vivant !

La bête amorce un virage. Elle vole droit vers la cabane, comme un gigantesque deltaplane.

Puis elle change de direction et monte très haut dans le ciel. Tom court à la fenêtre. Il se penche tellement pour suivre du regard l'animal volant qu'il manque de basculer dans le vide.

– Qu'est-ce qui se passe, ici ? murmure-t-il.

Tom reprend le livre, il regarde l'image, il regarde dehors...

C'est le même paysage, exactement.

Dehors, le ptéranodon plane dans le ciel, comme sur l'image. Le sol est couvert de fougères et de hautes herbes ; une rivière serpente au pied d'une colline ; des volcans fument, au loin, comme sur l'image.

– Ça alors..., balbutie Tom.

Le ptéranodon descend lentement et vient se poser au pied du chêne. Serrés l'un contre l'autre, les deux enfants n'osent plus faire un geste.

– Qu'est-ce qui nous arrive, Tom ? demande Léa à voix basse.

– Je ne sais pas, souffle celui-ci. Je n'y comprends rien. Je regardais cette image, dans le livre, et...

– Et tu as dit : « Si j'avais la chance de voir une bête comme ça en vrai ! » Alors, il y a eu ce drôle de coup de vent, et...

– Et la maison s'est mise à tourner comme une toupie !

– Et on s'est retrouvés ici !

– Ça veut dire que...

– Ça veut dire... quoi ? balbutie Léa.

Tom secoue la tête, incrédule :

– Ça ne veut rien dire du tout ! C'est impossible. Ça ne peut pas être vrai !

Léa se penche de nouveau à la fenêtre et déclare :

– Seulement, lui, il est vrai. Il est même tout ce qu'il y a de plus vrai !

Tom regarde à son tour. Le ptéranodon semble monter la garde au pied du chêne, ses grandes ailes membraneuses largement ouvertes.

– Bonjour, toi ! lui lance Léa.

– Chut ! Pas la peine de nous faire remar-

quer ! On ne devrait pas être ici.

– Ah oui ? Mais... c'est où, ici ?

– Je ne sais pas.

– Hé, grosse bête ! crie Léa. Tu le sais, toi, où on est, ici ?

Le ptéranodon lève la tête.

– Si tu crois qu'il va te répondre ! grommelle Tom. Regardons plutôt ce que dit le livre.

Il reprend alors l'album et lit la légende inscrite sous l'image :

27

Ptéranodon : reptile volant de la période du Crétacé. Cette espèce a disparu il y a soixante-cinq millions d'années.

Tom reste abasourdi :

– Soixante-cinq millions d'années ! N'importe quoi ! On n'a tout de même pas remonté le temps comme ça !

– Il est trop mignon ! s'attendrit Léa.

– Qui ? Lui ?

– Mais oui, regarde comme il a l'air gentil ! Viens, on va le voir de plus près !

– Quoi ?

Léa s'est engagée dans la trappe, elle commence à descendre l'échelle de corde.

– T'es complètement folle ! crie Tom. Léa ! Remonte ici tout de suite !

Mais sa sœur est déjà en bas. Elle saute dans l'herbe et marche bravement vers la créature du fond des âges.

4

Une créature du fond des âges

En voyant Léa tendre la main vers le monstre, Tom est pétrifié. À chaque fois que sa sœur voit un animal, il faut qu'elle aille le caresser. Mais là, vraiment, elle exagère !

– Léa ! crie Tom. Ne fais pas ça ! On ne doit jamais toucher une bête qu'on ne connaît pas ! Maman te l'a dit cent fois !

Léa pose son doigt sur la crête du ptéranodon. Elle lui tapote gentiment le cou. Elle lui parle tout bas. Qu'est-ce qu'elle peut bien lui raconter ?

Tom prend une grande inspiration. Parfait ! Puisque c'est comme ça, il descend aussi. Il va observer la créature de plus près. Et il va prendre des notes. C'est ce que font les savants, non ?

Il attrape son sac à dos, empoigne les cordes de l'échelle et entame la descente. Quand il pose le pied par terre, l'animal tourne la tête vers lui et le dévisage de ses petits yeux brillants.

– Il est tout doux ! dit Léa. Aussi doux que Black !

– Ce n'est pas un chien, Léa, c'est un ptéranodon ! raille Tom pour cacher sa peur.

– Viens, viens le caresser !

Tom reste figé.

– Allez, viens !

Tom avance prudemment, un pas, un autre. Il tend la main. Il la passe lentement le long du cou de la créature. Il se dit : « Intéressant. La peau du ptéranodon est

recouverte d'une sorte de fine fourrure. »

– C'est doux, hein ? dit Léa.

Tom ne répond pas. Il fouille dans son sac à dos, en sort un carnet et un crayon, et il note :

Peau recouverte de fourrure.

– Qu'est-ce que tu fabriques ? s'étonne Léa.

– Je prends des notes. Nous sommes les premiers humains à voir un ptéranodon en chair et en os.

Il examine de nouveau l'animal, et remarque que la crête osseuse, au sommet de sa tête, est plus longue que son propre bras.

– Je me demande s'il possède une forme d'intelligence, dit Tom.

– Évidemment qu'il est intelligent !

– Tu parles ! Sa cervelle n'est sûrement pas plus grosse qu'un petit pois !

– Même pas vrai ! Il est très intelligent, je le sens ! Et il est gentil. Je vais l'appeler Nono.

Tom note dans son carnet :

Taille du cerveau ?

Puis il suggère :

– C'est peut-être un mutant.

Le ptéranodon remue la tête, et Léa éclate de rire :

– Il n'est pas content que tu le traites de mutant !

– Mais qu'est-ce qu'il fait ici ? Et d'ailleurs, où sommes-nous ?

– Tu sais où on est, toi, Nono ? demande

doucement Léa à l'étrange grosse bête.

Celle-ci regarde la petite fille en ouvrant et en fermant ses mâchoires, semblables aux lames d'une paire de ciseaux.

– Tu veux me dire quelque chose, Nono ?

– Arrête tes bêtises, grommelle Tom.

Et il écrit :

Mâchoires
en forme de ciseaux.

– Tu crois qu'on a remonté le temps, Tom ? s'inquiète Léa. Tu crois qu'on est à l'époque des dinosaures ?

Soudain, elle pousse un cri étranglé :

– Là ! Regarde !

Léa désigne quelque chose d'un doigt tremblant. Tom lève les yeux : au sommet de la colline vient d'apparaître un énorme dinosaure !

De l'or
dans l'herbe

– Vite ! souffle Tom. On retourne dans la cabane !

Il fourre le carnet dans son sac et tire sa sœur vers l'échelle de corde.

– Au revoir, Nono, dit Léa.

– Dépêche-toi ! Grimpe !

Ils escaladent l'échelle et se laissent tomber, hors d'haleine, sur le plancher de la cabane. Dès que les battements de leurs cœurs sont un peu calmés, ils courent à la fenêtre. Sur la colline, le dinosaure broute tranquillement les fleurs d'un arbre.

– Incroyable ! murmure Tom. On est vraiment remontés très loin dans le temps !

Le dinosaure ressemble à un énorme rhinocéros à trois cornes : il en a deux longues au-dessus des yeux, et une, plus courte, sur le nez. Derrière sa tête se déploie une espèce de carapace en forme de bouclier.

– C'est un tricératops ! dit Tom.

– Ça mange les gens, les tricératops ? demande Léa d'une toute petite voix.

– On va regarder.

Tom feuillette le livre jusqu'à ce qu'il trouve la bonne image, et il lit la légende :

Les tricératops vivaient dans la dernière période du Crétacé. Ce dinosaure herbivore pesait plus de six tonnes.

Tom referme le livre d'un coup sec :
– Ça ne mange pas de viande, rien que des plantes.
– Alors, on va le voir de plus près !
– T'es pas folle ?
– Je croyais que tu voulais prendre des notes ?
Et, singeant son frère, Léa déclare :
– Nous sommes les premiers humains à voir un tricératops en chair et en os !
Tom est bien obligé d'admettre que sa sœur a raison.
– D'accord, soupire-t-il. On y va.
Il fourre le livre dans son sac, met le

sac sur son dos et commence la descente.
À mi-hauteur, il s'arrête et lance :

– Tu me promets de ne pas le caresser ?

– Promis !

– De ne pas lui parler ?

– Promis !

– De ne pas...

– Oh, ça va ! Tu descends, oui ou non ?

Tom descend, et Léa le suit. Quand ils arrivent en bas de l'échelle, le ptéranodon leur lance un regard amical.

– À tout à l'heure, Nono ! dit Léa.

Et elle lui envoie un baiser.

– Suis-moi ! ordonne Tom en ouvrant la marche à travers les fougères. Et ne fais pas de bruit !

Arrivé au bas de la colline, il s'accroupit derrière un buisson. Léa s'accroupit près de lui. Au moment où elle ouvre la bouche pour parler, Tom lui pose un doigt sur les lèvres :

– Chut !

Le tricératops a la taille d'un gros camion. Pour l'instant, il se régale de fleurs de magnolia.

Tom sort discrètement son carnet de son sac et note :

Se nourrit de fleurs.

Léa lui donne un coup de coude, mais Tom n'y prend pas garde. Il continue de noter :

Mastique lentement.

Léa lui envoie un autre coup de coude. Tom se tourne vers elle. Sans un mot, elle désigne l'énorme bête. Puis elle se désigne du doigt et elle agite la main, comme pour dire au revoir.

Qu'est-ce que c'est que ce cinéma ?

Brusquement, Tom comprend : sa sœ

veut s'approcher de l'animal ! Il tend le bras pour la rattraper, mais elle est déjà partie en courant. Soudain, Tom la voit trébucher et s'affaler dans l'herbe, juste sous le nez du tricératops !

Tom n'ose pas crier. Terrifié, il chuchote :

– Reviens, Léa ! Reviens !

Le dinosaure l'a vue. Il penche elle, une fleur entre les dents.

njour, toi ! dit Léa.

éa !

Cette fois, Tom a crié de toutes ses forces.
Sa sœur s'est remise sur ses pieds. Elle
l'appelle :
– Viens ! Il a l'air gentil !
– Léa ! Méfie-toi de ses cornes !
– Je t'assure qu'il est gentil !
Le tricératops regarde la petite fille. Il
mâche sa fleur, l'avale. Puis il se détourne
et s'éloigne tranquillement, de l'autre côté
de la colline.
– Au revoir ! fait Léa en agitant la main.

Puis elle se tourne vers son frère :

– J'avais encore raison !

Tom répond par un grognement. Mais il note tout de même dans son carnet :

Animal pacifique.

– Viens, dit Léa. Allons voir s'il y en a d'autres.

Au moment où Tom se relève, un éclat brillant, dans l'herbe, attire son attention. Il se penche et ramasse un objet doré. C'est un médaillon. Un médaillon en or. Une lettre est gravée sur une des faces, un grand M aux jambages élégants.

– Alors ça ! souffle Tom. Quelqu'un est passé ici avant nous !

La vallée
des dinosaures

– Léa, crie Tom, regarde ce que j'ai trouvé !
La petite fille ne répond pas. Debout sous
l'arbre, elle cueille une fleur de magnolia.
– Léa ! J'ai trouvé un médaillon !
Mais sa sœur a remarqué quelque chose,
sur l'autre versant de la colline.
– Oh ! souffle-t-elle.
– Léa !
Léa n'écoute pas. Sans lâcher sa fleur de
magnolia, elle s'élance vers la pente.
– Léa, reviens ! s'égosille Tom.
Peine perdue, Léa a disparu.

– Celle-là, rouspète Tom, je crois que je vais la tuer !

Il fourre le médaillon dans la poche de son bernuda et ramasse son sac à dos. Il entend soudain une sorte de mugissement, semblable au son grave d'un tuba, puis la voix de Léa :

– Tom ! Au secours !

Tom part ventre à terre, et il arrive hors d'haleine au sommet de la colline. Alors il pousse une exclamation : la vallée, en contrebas, est creusée de larges nids de boue. Dans les nids s'agitent de minuscules

bébés dinosaures. Léa est à genoux devant l'un des nids. Et au-dessus d'elle se dresse une créature gigantesque dotée d'un étrange bec de canard.

– Reste calme, et surtout ne fais pas un geste ! lance Tom à sa sœur.

Et il descend lentement vers elle.

L'énorme bête domine Léa de toute sa hauteur. Elle agite ses espèces de bras. Et elle pousse son terrible mugissement de tuba.

Tom n'ose plus avancer. Il s'accroupit et dit à Léa :

– Bon, recule vers moi,

maintenant. Lentement, très lentement.
Et comme la petite fille veut se relever,
il lance :

– Non ! Rampe !

Léa s'exécute en silence, sans lâcher
sa fleur. Le dinosaure à bec de canard
mugit encore et s'ébranle à sa suite.

Léa se fige.

– Ne t'arrête pas, dit Tom
dans un souffle. Allez !

Quand sa sœur
n'est plus qu'à

un mètre de distance, il se penche, tend le bras, lui agrippe la main et la tire vers lui. Il ordonne :

– Mets-toi à quatre pattes et fais semblant de brouter.

– Quoi ?

– Oui ! C'est une ruse !

Léa obéit. Les deux enfants baissent la tête et mastiquent avec application. Ça a l'air de marcher. Le grand dinosaure se calme.

– Merci, Tom, murmure la petite fille.

– Si tu te servais de ta cervelle, aussi, au lieu de te comporter comme une idiote !

grommelle son frère. Aller te planter juste devant un nid ! Tu n'as pas pensé qu'une des mères serait dans les parages, prête à protéger ses petits ?

Alors, d'un bond, Léa est debout. Elle tend sa fleur à l'énorme bête et s'écrie :

– Pardon, grosse maman ! Je ne voulais pas faire de mal à tes bébés, tu sais !

La mère dinosaure s'approche, elle happe la fleur, la déguste. Puis elle tend son bec de canard pour en avoir une autre.

– Je n'en ai plus, dit Léa. Mais il y en a plein, là-haut ! Attends, je vais t'en chercher !

Elle remonte la pente au pas de course. Le dinosaure la suit en mugissant. Tom en profite pour jeter un coup d'œil aux nids. Quelques bébés tentent de ramper

au-dehors. Tom se demande où sont pas-
sées les autres mères.

Il prend le livre dans son sac, le feuillette
rapidement. Quand il a trouvé la bonne
image, il lit la légende :

**Les anatosaures vivaient en groupes.
Tandis que quelques femelles gardaient
le nid, le reste du troupeau partait
en quête de nourriture.**

« Donc, se dit Tom, il y a sûrement d'autres
mères pas loin. »

– Tom ! Hou hou !

Léa est en haut de la colline, sous le
magnolia. Elle cueille des fleurs, qu'elle
présente à l'anatosaure dans la paume de
sa main :

– Elle est drôlement gentille, elle aussi !

Brusquement, l'animal relève la tête et
lance son terrible mugissement de tuba.

Léa se jette aussitôt à terre et fait mine de brouter. Mais la grosse bête dévale la pente, comme si quelque chose l'avait effrayée. Tom pose le livre sur son sac et rejoint sa sœur à grandes enjambées.

– Pourquoi elle s'en va, ma copine ? s'étonne Léa.

Alors, Tom reste pétrifié : un monstre gigantesque avance droit vers eux. Il marche sur ses deux énormes pattes arrière, balançant derrière lui une longue queue épaisse comme trois troncs d'arbre. Sa tête aussi est énorme, et ses mâchoires ouvertes découvrent deux terrifiantes rangées de dents.

– Un Tyrannosaurus rex !

souffle le garçon.

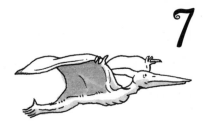

La folle poursuite

– À la cabane, vite ! crie Tom, épouvanté.

Les deux enfants dévalent la colline, ils foncent à travers les fougères. Le ptéranodon est toujours là, au pied de l'échelle. Ils passent devant lui sans même le regarder, empoignent les cordes et escaladent en hâte les échelons.

Quelques secondes plus tard, ils s'effondrent sur le plancher de la cabane, à bout de souffle.

Sauvés !

Léa se relève, court à la fenêtre :

– Il s'en va ! s'exclame-t-elle.

Tom rajuste ses lunettes et rejoint sa sœur.

Ouf ! Le tyrannosaure s'éloigne !

Mais brusquement, le monstre fait volte-face.

– Cache-toi ! lance Tom.

Ils s'accroupissent vivement. Au bout d'un long moment, ils se redressent et jettent un coup d'œil prudent au-dehors.

– Il est parti ! dit Tom.

– Oui, mais nous ? objecte Léa. Comment on va partir d'ici ?

– Je ne sais pas...

– Tu te souviens ? Tout à l'heure, tu as fait un vœu, et...

– Tu crois que ça marchera dans l'autre sens ?

Léa hausse les épaules :

– Tu n'as qu'à essayer !

Tom ferme les yeux, et il murmure :

– Je voudrais revenir dans le bois de Belleville !

Rien ne se passe.

– Tom, dit Léa, tu regardais une page du livre, quand c'est arrivé...

Le livre des dinosaures ! Il est sur le sac de Tom ! Et le sac de Tom est...

– Mon sac est resté dans la vallée ! Il faut que j'y retourne !

– Oh non ! crie Léa. Tant pis pour ton sac !

– D'accord, mais le livre n'est pas à nous, Léa ! Et il y a aussi mon carnet avec mes observations !

– Bon, alors dépêche-toi !

Tom redescend, passe devant le ptéranodon, traverse les fougères en courant, escalade la colline. Son sac est là, en bas, et le livre est posé dessus. Mais la vallée grouille maintenant d'anatosaures. Sans doute ont-ils accouru pour protéger leurs petits du tyrannosaure.

Tom prend une grande inspiration.

À vos marques, prêts, partez !

Il dégringole la pente, attrape le livre d'une main, le sac à dos de l'autre. Il repart en sens inverse, accompagné par un concert assourdissant : tous les anatosaures mugissent ensemble comme mille tubas jouant en même temps !

Tom fonce. Mais, au moment où il va entamer la descente de l'autre côté, il pile.

Le tyrannosaure est là ! Il est planté au beau milieu du chemin, juste entre Tom et la cabane dans l'arbre !

L'ombre du monstre

D'un bond, Tom se dissimule derrière le tronc du magnolia. Son cœur bat si fort qu'il en perd la respiration. Au bout d'un moment, il risque un œil prudent. L'horrible créature n'a pas bougé. Ses énormes mâchoires garnies de dents plus aiguisées qu'un couteau de boucher claquent bruyamment.

Ce n'est pas le moment de paniquer ! C'est le moment de réfléchir.

Tom regarde vers la vallée. Bon. Les bêtes à bec de canard montent toujours la garde

autour de leurs nids. Et le tyrannosaure ? Bon. Il ne semble pas avoir détecté la présence de Tom.

Ne pas paniquer. Réfléchir. Y aurait-il une information utile dans le livre ?

Tom l'ouvre, le feuillette, trouve la page du tyrannosaure et lit :

Le Tyrannosaurus rex fut sûrement le plus grand carnivore de tous les temps. S'il vivait de nos jours, il avalerait un homme d'une bouchée.

Très utile, en effet. Que faire, maintenant ? Si Tom tente de se cacher dans la vallée, il sera piétiné par le troupeau d'anatosaures. S'il court vers la cabane, le tyrannosaure courra plus vite que lui. Il ne reste qu'une solution : attendre. Le monstre finira peut-être par s'en aller.

Tom jette un autre coup d'œil. Le tyrannosaure s'est rapproché. Mais Tom a eu le temps de voir autre chose : Léa ! Léa est en train de descendre l'échelle ! Elle est devenue folle, ou quoi ? Elle ne prétend tout de même pas apprivoiser un tyrannosaure !

Ça y est, Léa est par terre. Elle se penche vers le ptéranodon, elle lui parle tout bas. Elle remue les bras, et elle montre Tom, sur la colline. Elle montre le ciel, puis la cabane dans l'arbre.

Pas de doute, elle a perdu la tête !

Comme si sa sœur pouvait l'entendre, il chuchote :

– Remonte, Léa ! Remonte dans la cabane !

Soudain retentit un épouvantable rugissement. Le tyrannosaure a vu Tom ! Le tyrannosaure marche vers lui ! Tom s'aplatit dans l'herbe. Il sent la terre trembler sous les pas du monstre.

Que faire ? Courir vers la vallée ? Grimper dans le magnolia ?

Alors une grande ombre passe sur lui. Le garçon lève la tête. Une créature ailée plane au-dessus de la colline. C'est le ptéranodon. Il plonge droit vers Tom !

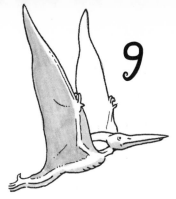

9

Un vol fantastique

Le ptéranodon se pose et il fixe Tom de ses petits yeux brillants. Qu'est-ce qu'il attend ? Que le garçon monte sur son dos ?

« Je suis trop lourd... », pense Tom.

Mais ce n'est plus le moment de réfléchir, il faut agir. Le tyrannosaure arrive au sommet de la colline. Ses énormes dents luisent dans le soleil.

Ne pas réfléchir, agir.

Tom range le livre dans son sac. Il met le sac sur son dos. Il s'installe à califourchon sur celui du ptéranodon et se cramponne

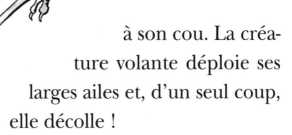

à son cou. La créature volante déploie ses larges ailes et, d'un seul coup, elle décolle !

Elle penche à droite, elle penche à gauche, et Tom manque de tomber. Puis le ptéranodon trouve son équilibre et monte droit vers le ciel.

En bas, le tyrannosaure fait claquer ses grandes mâchoires dans le vide. Le ptéranodon survole la vallée, où les bébés anatosaures éclosent et s'agitent dans leurs nids.

Les grands dinosaures à bec de canard s'empressent autour de leurs petits. Un peu plus loin, le tricératops broute dans une vaste prairie. C'est un spectacle incroyable !

Tom a l'impression d'être un oiseau. Le vent ébouriffe ses cheveux ; l'air est frais et chargé d'odeurs d'herbes et de fleurs. Tom éclate de rire. Il n'a jamais rien ressenti de pareil !

Le ptéranodon passe au-dessus d'une rivière, au-dessus des fougères et des buissons. Puis il se pose doucement au pied du chêne. Tom se laisse glisser à terre.

Le reptile ailé s'envole de nouveau.

Bientôt, il plane très haut dans le ciel.

– Merci, Nono ! murmure le garçon.

Du haut du chêne, Léa demande :

– Tout va bien, Tom ?

Le garçon replace ses lunettes sans répondre. Pensif, il regarde le ptéranodon disparaître au loin.

– Tom ? Ça va ?

Tom lève les yeux vers la cabane et sourit :

– Merci ! Tu m'as sauvé la vie ! Et c'était... magique ! magnifique ! fantastique !

– Allez, monte ! dit Léa.

Tom saisit les cordes de l'échelle. Il a les jambes molles, et la tête lui tourne un peu. Un cri de Léa le fait sursauter :

– Monte ! Vite ! Il revient !

Tom regarde par-dessus son épaule : le tyrannosaure fonce droit sur lui !

Sans même savoir comment il a grimpé, Tom se retrouve, hors d'haleine, à plat ventre au milieu des livres, sur le plancher de bois. Au même instant, un

choc violent ébranle la cabane.
Léa s'affale à côté de lui. Elle
balbutie :

– Le tyrannosaure ! Il est
tellement énorme ! La
cabane va tomber !
Fais un vœu, Tom !
Dépêche-toi !

– Il me faut le livre !
Celui où il y a la photo de
notre bois ! Où est-il ?

Les deux enfants fouillent
fébrilement. Ce livre sur leur
région, ils doivent le retrouver, tout
de suite !

Un autre choc secoue la cabane.

Les parois tremblent.

Oui ! Le livre est là !

Tom le feuillette, cherchant la
photo du bois de Belleville.

La voilà !

– Je voudrais revenir à la maison ! lance-t-il.

Une brise agite les feuilles du chêne.

– Vas-y, supplie Tom, souffle plus fort !

Le vent commence à gémir, puis à hurler. La cabane se met à tourner, plus vite, encore plus vite, de plus en plus vite. La cabane tourbillonne comme une toupie folle. Tom ferme les yeux. Il s'accroche à Léa.

Et soudain, tout s'arrête, tout se calme. Tout reste parfaitement calme.

10

De retour avant la nuit

Tom ouvre les yeux. À ses pieds, le livre est toujours ouvert à la page du bois de Belleville. Dehors, un oiseau chante. Tom se précipite à la fenêtre. C'est le même bois, leur bois !

– On est revenus chez nous, Léa !

Dans la belle lumière de fin d'après-midi, les feuilles brillent comme de l'or. Le soleil va bientôt se coucher.

– On a voyagé dans le temps, et le temps n'a pas passé, murmure Tom.

– Tom ! Léa ! clame une voix lointaine.

– Maman nous appelle,
dit Léa.

Les deux enfants
se penchent à
la fenêtre.

Ils aperçoivent leur mère, sur le seuil de
leur maison, là-bas, une toute petite dame
devant une maison de poupée !

Léa lui adresse un grand signe de la main
et crie :

– On est là ! On arrive !

Tom se sent encore tout étourdi. Il prend
sa sœur par le bras et demande :

– Léa, que nous est-il arrivé ?

– On a voyagé dans une cabane magique,
répond Léa, comme si c'était parfaitement
normal.

– Mais on
dirait qu'il ne
s'est pas écoulé une
minute depuis notre départ !
Léa hausse les épaules.

– Et comment avons-nous été emportés si
loin dans le temps ? poursuit Tom.

– Ben, tu as pris un livre, tu as fait un
vœu, et, comme on était dans une cabane
magique...

– Mais qui l'a construite, cette cabane ?
Qui a mis tous ces livres dedans ?

– Un magicien, je suppose.

– Un magicien ? Oh, ça me rappelle...
J'allais oublier !

Et Tom sort de sa poche le médaillon en or :

– Quelqu'un a perdu ça, dans la vallée
des dinosaures. Regarde, il y a une lettre
dessus, un M.

Léa ouvre des yeux ronds :

– Un M ? Comme Magicien ?

– Je ne sais pas. Ça prouve seulement que
quelqu'un est allé là-bas avant nous.

– Tom ! Léa ! crie de nouveau la voix au loin.

– On arrive, maman ! répond Léa.

Tom replace le médaillon au fond de sa
poche. Il sort le livre sur les dinosaures de
son sac et le dépose au milieu des autres
livres. Puis il jette un dernier regard
autour de lui.

– Au revoir, cabane, dit Léa.

Tom met son sac sur son dos et il se dirige
vers la trappe.

Ils arrivent en bas de l'échelle ; ils reprennent le chemin dans les bois.

– Personne ne voudra croire à notre histoire, murmure Tom.

– On n'est pas obligés de la raconter, déclare Léa.

– Papa dirait qu'on a rêvé, reprend Tom.

– Maman dirait qu'on a trop d'imagination, continue Léa.

– Mon maître dirait que je raconte n'importe quoi, renchérit Tom.

– On n'est pas obligés de la raconter, répète Léa.

Tom soupire, et il ajoute :

– Je ne suis même pas sûr
d'y croire moi-même !

Ils sortent du bois. Ils
arrivent dans leur rue,
ils passent devant
les maisons des
voisins, avec

leurs pelouses bien tondues, leurs haies bien taillées. Le voyage au pays des dinosaures n'était-il pas un rêve ?

Tom enfonce la main dans sa poche pour tâter le médaillon. Il sent sous ses doigts la lettre gravée, le mystérieux M. Il se met à rire. Il se sent soudain tellement joyeux ! Il est incapable d'expliquer ce qui leur est arrivé, aujourd'hui. Mais il est sûr qu'il n'a pas rêvé, que leur aventure était réelle.

– Demain, décide Tom, on retournera dans les bois.

– Sûr ! approuve Léa.

– Et on montera dans la cabane.

– Sûr !

– Et on verra bien ce qui se passera !

– Sûr, on verra ! On fait la course jusqu'à la maison ?

Et ils s'élancent tous les deux en riant.

À suivre...

Découvre vite la suite

des aventures de Tom et Léa dans

Le mystérieux chevalier.

La Cabane magique

propulse
Tom et Léa

au Moyen Âge

À Nathaniel Pope.

Titre original : *The Knight at Dawn*
© Texte, 1993, Mary Pope Osborne.
Publié avec l'autorisation de Random House Children's Books,
un département de Random House, Inc., New York, New York, USA.
Tous droits réservés.
Reproduction même partielle interdite.
© 2002, Bayard Éditions Jeunesse pour la traduction française
et les illustrations.

La Cabane Magique

Le mystérieux chevalier

Mary Pope Osborne

Traduit et adapté de l'américain
par Marie-Hélène Delval

Illustré par Philippe Masson

1

Les ombres du bois

Tom est réveillé depuis un bon moment, et il n'arrive pas à se rendormir. Il met ses lunettes. Le cadran de son réveil indique 5:30. Bien trop tôt pour se lever.

A-t-il vraiment vécu, hier, cette aventure extraordinaire ? Il faut qu'il en ait le cœur net. Il allume la lampe de chevet, prend son carnet et relit ce qu'il a écrit avant de se coucher :

> Trouvé une cabane
> dans le bois.
> Plein de livres dedans.

Mis le doigt
sur une image de ptéranodon.
Fait un vœu.
Transporté au temps
des dinosaures.
Mis le doigt sur une photo
du bois de Belleville.
Fait un vœu.
Revenu à Belleville.

Le garçon remonte ses lunettes sur son nez en soupirant. Qui croirait à une histoire pareille ?

Pas sa mère. Ni son père. Ni son maître, monsieur Watkins.

Il ne peut en parler qu'avec sa petite sœur, Léa. Car elle aussi a été transportée au temps des dinosaures *.

– Tu ne dors pas ?

C'est Léa, qui a entrouvert la porte et entre dans la chambre.

* Lire le tome 1, *La vallée des dinosaures*.

– Non.

– Moi non plus. Qu'est-ce que tu fais ?
Elle s'approche de Tom, prend le carnet
et lit.

– Tu n'as pas mis que tu as trouvé une
médaille, s'étonne Léa.

– Tu veux dire : un médaillon en or ?
Tom prend son crayon et ajoute :

Trouvé ceci au temps
des dinosaures

– Tu ne dessines pas la lettre M
sur la médaille ? demande Léa.

– C'est un médaillon, la reprend Tom, pas
une médaille.

Et il ajoute un M.

– Tu n'écris rien à propos
du magicien ?

– On n'est pas sûrs que ce
soit un magicien !

– Pourtant, quelqu'un a construit cette cabane dans l'arbre. Quelqu'un y a mis les livres. Et quelqu'un a perdu une médaille au temps des dinosaures !

– Médaillon, corrige Tom pour la troisième fois. Je note les faits, pas les suppositions.

– Si on retournait à la cabane ? propose Léa. On verrait si le magicien est un fait ou une supposition !

– T'es pas folle ? Le soleil n'est même pas levé !

– Justement, dit Léa. Le magicien dormira encore, on pourra le surprendre !

– Non, refuse Tom. Ce n'est pas une bonne idée.

Il pense que c'est même une très mauvaise idée ! Et si c'est un méchant magicien ? Et s'il est furieux que des enfants connaissent l'existence de sa cabane ?

– Moi, décide Léa, j'y vais.

Tom regarde le ciel grisâtre, derrière la fenêtre. L'aube va bientôt poindre. Il soupire :

– D'accord, je m'habille. On se retrouve devant la porte du jardin. Ne fais pas de bruit !

– Super ! chuchote Léa en disparaissant sur la pointe des pieds, aussi légère qu'une petite souris.

Tom enfile son bernuda, un pull chaud par-dessus son tee-shirt, et des baskets. Il met son carnet et son crayon dans son sac à dos, et il descend prudemment les escaliers.

Léa l'attend devant la porte. Elle braque le faisceau d'une lampe torche sur le visage de Tom, qui cligne des yeux, ébloui.

– Abracadabra ! lance-t-elle. T'as vu ma baguette magique ?

– Chut ! Tu vas réveiller papa et maman ! Et puis, éteins ça ! Pas la peine de se faire remarquer !

Léa obéit et attache la lampe à sa ceinture par un mousqueton.

Les deux enfants se glissent dehors. Des grillons chantent dans l'air frais du petit matin. Le chien des voisins aboie.

– Tais-toi, Black ! ordonne Léa.

– Dépêche-toi ! grommelle Tom.

Ils traversent au pas de course la pelouse humide de rosée et ne ralentissent qu'en arrivant dans le bois.

– Tu peux allumer la torche, maintenant.

Ils suivent le sentier entre les arbres. Tom retient son souffle. Ces bois tout noirs ne

sont pas très rassurants !

– Hou ! crie Léa en tournant brusquement
la lumière vers son frère.

Le garçon bondit en arrière.

– Arrête tes bêtises ! grogne-t-il.

– T'as eu peur, hein ?

– Ce n'est pas drôle !

Léa dirige le faisceau lumineux vers la
cime des arbres.

– Mais qu'est-ce que tu fabriques ?
– Je cherche la cabane !
La cabane est là, au sommet du plus haut chêne ! Léa éclaire l'échelle de corde qui pend le long du tronc.
– J'y vais ! dit-elle.
Elle accroche la lampe à sa ceinture et commence à grimper.
– Attends ! crie Tom. Et s'il y a quelqu'un dans la cabane ?...
Léa ! Reviens !
Mais Léa a disparu. La lumière a disparu. Tom est seul dans le noir.

Châteaux et chevaliers

– Il n'y a personne, ici ! lance Léa.

Tom a bien envie de rentrer à la maison.
Puis il pense à tous ces livres qui l'attendent, là-haut...

Il monte à l'échelle. À l'horizon, le ciel s'est teinté de rose. C'est l'aube. Tom émerge de la trappe, prend pied sur le plancher et laisse tomber son sac à dos.

Il fait encore très sombre dans la cabane.
Léa promène le faisceau de la lampe sur les livres entassés. Elle éclaire un instant l'album sur les dinosaures. C'est celui qui

les a transportés à l'époque de ces animaux disparus.

– Tu te souviens du tyrannosaure ?

Tom hausse les épaules sans répondre.
Évidemment qu'il s'en souvient !

Comment oublier une rencontre avec un tyrannosaure en chair et en os ? La lumière
passe sur le livre contenant les photos de
leur région.

– Tu te souviens de la photo du bois de
Belleville ?

– Bien sûr, dit Tom. C'est grâce à elle
qu'on a pu revenir chez nous !

– Oh ! J'aime trop celui-là !
s'exclame Léa en voyant
apparaître dans le rond
lumineux un ouvrage
intitulé *Châteaux et
chevaliers.*

Un signet de cuir bleu dépasse de la tranche. La petite fille ouvre le livre à la page marquée, et découvre une image représentant un chevalier en armure, monté sur un cheval noir qui galope vers un château.

– Referme ce livre, Léa ! ordonne Tom. Je sais ce que tu as en tête.

Léa pose le doigt sur l'image du chevalier.

– Non, Léa, ne fais pas ça !

Mais, déjà, sa sœur déclame d'une voix solennelle :

– Nous souhaitons voir ce chevalier pour de vrai !

– C'est faux ! proteste Tom. On ne souhaite rien du tout !

À cet instant, un coup de vent agite les branches, les feuilles frémissent.

– Oh non ! gémit Tom. Ça recommence !

– Ouais ! crie Léa. Ça marche ! Accroche-toi, Tom !

Le vent souffle de plus en plus fort. Il secoue le chêne en hurlant. Et la cabane se met à tourner. Elle tourne plus vite, encore plus vite, de plus en plus vite. Elle tourbillonne comme une toupie folle. Tom ferme les yeux.

Enfin, tout s'arrête, tout se calme.

Tom ouvre les yeux et frissonne. Le soir tombe. L'air est humide et froid.

Quelque part, un cheval hennit.

– Hiiiiiiiiiiii !

Les deux enfants courent se pencher à la fenêtre. Léa dirige le faisceau de la lampe vers le sol.

– Ce n'est pas possible ! souffle Tom.

– Un chevalier ! murmure Léa.

Un chevalier en armure, monté sur un cheval noir !

– Hiiiiiiiiiii ! hennit de nouveau le cheval.

– On dirait qu'on est arrivés à cet endroit !
commente Léa en montrant l'image du livre.

Tom observe le
paysage. Au pied d'une colline s'élève un
grand château. Et le chevalier galope vers
le château, comme sur l'image.

– On ne peut pas rester là, déclare Tom. On rentre à la maison et on réfléchit à un plan Il saisit le livre sur leur région, l'ouvre à la page marquée d'un signet rouge. Il pose le doigt sur l'image de leur bois et il commence :

– Je souhaite...

– Non ! crie Léa en lui arrachant le livre des mains. On reste ici ! Je veux visiter le château !

– T'es complètement folle ! Il faut d'abord examiner la situation ! On décidera tranquillement à la maison !

– On décide ici, et tout de suite !

– Allons, dit Tom, donne-moi ça !

Léa tend le livre à son frère, raccroche la lampe à sa ceinture et grommelle :

– D'accord, rentre si tu veux. Moi, je reste.

– Arrête tes bêtises ! grogne Tom.

– Je vais juste jeter un coup d'œil ! dit Léa.

Et elle commence à descendre.

Tom bougonne entre ses dents. Sa sœur a gagné, comme toujours. Il ne peut quand même pas rentrer sans elle ! De toute façon, il ne sera pas fâché de visiter le château, lui non plus.

Il repose le livre sur leur région. Il fourre celui sur les chevaliers dans son sac à dos. Il passe par la trappe et descend à son tour dans l'air frisquet. Il remarque qu'une fois encore l'arbre où est perchée la cabane est différent. C'est bien un chêne, mais ce n'est plus le même chêne.

Le pont-levis

Léa est au pied de l'arbre. Elle regarde l'étrange paysage où traînent des lambeaux de brouillard. Elle annonce :

– Le type en armure, il se dirige vers le pont, là-bas. Le pont qui mène au château. Viens ! On n'a qu'à le suivre !

– Une minute, dit Tom. Passe-moi d'abord la lampe, je voudrais vérifier quelque chose dans le livre.

Il le sort du sac, l'ouvre à la page marquée par le signet de cuir, et lit la légende écrite sous l'image :

Voici un chevalier en armure, comme on en portait à la guerre ou lors des tournois. L'armure était composée de plaques d'acier. Elle pouvait peser jusqu'à vingt-cinq kilos !

« Ouh là là ! se dit Tom. Pour monter à cheval avec un habit d'acier de vingt-cinq kilos, il fallait être costaud ! »

Il attrape son carnet et son crayon. Il va prendre des notes, comme il l'a fait pendant leur voyage au temps des dinosaures. Il écrit :

Lourde armure.

Quoi d'autre ?

Il feuillette le livre et trouve une image montrant l'ensemble d'un château et les bâtiments qui l'entourent.

– Le chevalier traverse le pont, observe Léa. Il passe la porte... Ça y est, je ne le vois plus !

Tom regarde l'image et lit la légende :

**Un fossé rempli d'eau, appelé
« les douves », entourait le château.
Lorsque le pont-levis était relevé,
personne ne pouvait entrer
dans le château.**

Tom note dans son carnet :

Profondeur des douves ?

À cet instant, une sonnerie de trompettes
éclate derrière les murailles.
– Tu as entendu ? s'écrie Léa. Il doit y avoir
une fête ou quelque chose ! Allez, viens !
Moi, je veux voir comment c'est dans le
château, pas dans les pages du livre !
Son frère n'écoute rien, bien trop passionné par sa lecture. Il s'exclame soudain :
– Hé, Léa, tu savais ça ? Ces espèces de

dents de pierre qui avancent, sous les créneaux, ça s'appelle des mâchicoulis ! Et il lit à voix haute :

Depuis les trous des mâchicoulis, on pouvait faire tomber des projectiles sur la tête des assaillants en cas d'attaque.

– Ouais ! rigole Tom. Et aussi de l'huile bouillante ! T'entends, Léa ? Léa ?

Mais Léa n'est plus là. Où est-elle encore partie ?

– Léa !

Tom la cherche partout du regard. À travers le brouillard, il voit les vrais remparts, les vrais créneaux, les vrais mâchicoulis. Il voit les vraies douves et le vrai pont-levis. Et sur le pont-levis, il voit la silhouette de Léa qui s'avance !

– Léa !

Au moment où retentit une nouvelle sonnerie de trompettes, la petite fille pénètre dans le château.

Une fête
au château

– Je vais la tuer ! grommelle Tom.

Il remet le livre et le carnet dans son sac.

Il éteint la lampe et se dirige vers le pont-levis. Il fait de plus en plus sombre. Pas de doute, ici, c'est le soir !

Tom s'engage prudemment sur le pont-levis. Les planches craquent sous ses pas. Pourvu que personne ne l'entende !

Il se penche pour regarder les eaux noires des douves, au-dessous de lui. Est-ce profond ? Il ne saurait le dire.

– Qui va là ? crie soudain une grosse voix

menaçante du haut du rempart.

Un garde l'a repéré ! Tom s'élance, franchit le portail, se glisse dans un coin et se tapit dans l'obscurité. Mais où est Léa ?

Des torches éclairent vaguement une grande cour. Deux jeunes garçons passent, menant des chevaux par la bride.

– Hiiiiiiiiiiiiii !

Ce cheval noir, Tom le reconnaît ! C'est

celui du mystérieux chevalier !

– Pssssst !

Tom avance un peu la tête. Léa est là, blottie derrière un puits, au centre de la cour. Tom attend que les garçons d'écurie se soient éloignés, puis il fonce vers le puits.

Des lueurs dansent derrière les étroites fenêtres d'un bâtiment. On entend des éclats de voix, de la musique et des rires.

– Il y a une fête, là-bas, chuchote Léa. On va voir ?

– D'accord, soupire Tom. Mais soyons prudents !

Sur la pointe des pieds, ils traversent la cour pavée, gravissent quelques marches

et entrent dans le château.
Au bout d'un corridor,
une porte s'ouvre sur une
salle pleine de lumière.

– Le seigneur donne un
festin dans la grande
salle du château,
murmure Tom. J'ai
lu ça dans le livre,
tout à l'heure.

– Viens, on va voir !
s'impatiente Léa.

Ils s'approchent
avec précaution et
jettent un coup d'œil
par l'ouverture.

La salle est immense.
Au fond, un feu brûle
dans une énorme chemi-
née. Des tapisseries recou-
vrent les murs. De nombreux

convives sont assis devant de longues tables couvertes de plats de viande et de coupes de fruits. Les hommes portent des tuniques bordées de fourrure, et les femmes sont coiffées de hauts chapeaux en forme de cornes ou d'ailes de papillons. Dans un coin, des musiciens jouent en pinçant les cordes de drôles d'instruments ressemblant un peu à des guitares. Au centre de la salle, des saltimbanques jonglent avec des balles et des torches enflammées.

– Je me demande si le chevalier est là, murmure Tom.

– Je ne le vois pas, dit Léa.

– Oh ! Ils mangent avec
leurs doigts !
Une sonnerie de trompettes
éclate. Elle annonce l'arrivée de
serviteurs chargés de plateaux.
– Ça alors ! s'exclame Léa. Ils apportent
un cochon entier ! Et même un cygne avec
ses plumes !
À cet instant, une voix courroucée les
interpelle :

– Qu'est-ce que vous faites là, garnements ?
Tom se retourne. Un homme les fixe d'un
regard soupçonneux.
– Vite, Léa ! lâche Tom. On file !
Les deux enfants galopent à toutes jambes
le long du sombre corridor.

5

Pris
au piège !

– Plus vite ! crie Léa.

Tom accélère. Est-ce que l'homme les a suivis ?

– Vite ! crie encore Léa en poussant une porte.

Ils pénètrent dans une pièce noire et froide. Ils claquent la porte derrière eux.

– Passe-moi la lampe ! chuchote Léa.

Tom la lui tend. Elle l'allume.

Aaaaaah ! Une rangée de chevaliers en armure leur fait face ! Léa éteint la lampe.

Ils se figent, le cœur battant.

Pas un mouvement, pas un bruit.

Léa rallume.

– Ce ne sont que des armures ! dit Tom.
Éclaire-moi, que je regarde dans le livre.

Il sort le livre de son sac, le feuillette et déclare enfin :

– On est dans l'armurerie. C'est là que sont rangées les armures et toutes les armes.

Léa promène le faisceau de la lampe autour d'eux. Les plaques d'acier brillent. Des heaumes sont alignés sur des étagères. Aux murs pendent des épées, des haches, des boucliers et des masses d'armes. Soudain, des voix s'élèvent dans le corridor.

– Cachons-nous ! souffle Léa.

– Attends, je veux d'abord vérifier quelque chose.

– Dépêche-toi !
– J'en ai pour une seconde.
Tom soulève un casque.
Il l'enfile. La visière
se referme avec
un bruit
sec.

Oh là là ! Comment les chevaliers arrivaient-ils à se battre avec ce truc sur la tête ? Ça pèse des tonnes ! Et, en plus, on n'y voit rien !

– Tom ! chuchote Léa, affolée. Les voix se rapprochent !

– Éteins la lampe !

La voix de Tom résonne drôlement dans sa prison de métal. Le garçon essaie d'enlever le casque. Impossible ! Il s'énerve, perd l'équilibre, se raccroche à une armure, qui s'écroule avec fracas. Tom se retrouve par terre, lui aussi. Il veut se relever, mais sa tête est trop lourde. Il entend une exclamation.

Quelqu'un l'attrape par le bras, lui retire le heaume. Et l'éclat d'une torche – pas du tout électrique, celle-là ! – le fait cligner des yeux.

6

Abracadabra !

Dans la lumière dansante, Tom découvre devant lui trois colosses. Le premier brandit la torche et le fixe de ses petits yeux qui louchent. Le second, celui qui le tient par le bras, a un large visage rouge. Le troisième porte de longues moustaches. Celui-là a agrippé Léa, qui se débat de toutes ses forces et lance des coups de pied.

– Qui êtes-vous ? demande Gros-Rougeaud. Des voleurs ? Des espions ?

– Allez, on les arrête ! décide Œil-qui-Louche.

– C'est ça, approuve Longues-Moustaches.
On les emmène au donjon !

Les gardes traînent les enfants hors de
l'armurerie. Tom se retourne et jette un
regard affolé derrière lui : son sac à dos
est resté là-dedans !

– Avance ! grogne Gros-Rougeaud.

Ils suivent un immense corridor,
obscur et froid. Ils descendent ensuite un étroit escalier plein de courants d'air. Léa se débat en criant :

– Laissez-nous, espèces d'affreux !
On n'a rien fait !

Les gardes se contentent de rire.

En bas des escaliers, il y a une
lourde porte de fer, fermée par
une barre. Œil-qui-Louche ôte la
barre. Il pousse le battant de la
porte, qui s'ouvre en grinçant.

Tom et Léa sont jetés dans un
cachot glacial. La lumière dansante

de la torche éclaire des chaînes fixées aux murs humides. Des gouttes d'eau tombent du plafond et forment de petites flaques sur le sol pavé. C'est l'endroit le plus repoussant que Tom ait jamais vu !

– On les gardera ici jusqu'à la fin de la fête, décide Œil-qui-Louche. Ensuite, on les amènera à notre duc. Ils verront comment il traite les voleurs !

– On aura une jolie pendaison, demain ! ricane Gros Rougeaud.

– Si les rats ne les ont pas mangés avant, s'esclaffe Longues-Moustaches.

Tom remarque alors

que Léa tient son sac à dos. Elle l'ouvre tout doucement.

— Allez, dit Gros-Rougeaud, on leur passe les chaînes !

Au même instant, Léa sort la lampe électrique du sac.

— Abracadabra ! lance-t-elle.

Et elle appuie sur l'interrupteur. La lumière jaillit. Les trois gardes poussent un cri d'effroi et bondissent en arrière. Œil-qui-Louche laisse tomber sa torche, qui s'éteint en grésillant dans l'eau d'une flaque.

Brandissant sa lampe d'un air menaçant, Léa ordonne :

– À genoux, vous autres ! Ou je vous fais disparaître d'un coup de baguette magique !

Tom en reste bouche bée.

L'un après l'autre, Léa les aveugle avec sa lampe. Et tous les trois se couvrent le visage de leurs mains en gémissant.

– À genoux, j'ai dit !

Les gardes se laissent tomber sur le sol trempé. Tom n'arrive pas à en croire ses yeux.

– On file ! chuchote Léa.

Tom regarde la porte grande ouverte. Puis il regarde les hommes prosternés, tout tremblants.

Vite, les deux enfants sortent de l'oubliette et remontent quatre à quatre l'escalier du terrible donjon.

7

Le passage secret

Déjà, des clameurs résonnent derrière eux. Quelque part, des chiens aboient.

– Ils vont nous rattraper ! panique Léa.

– Par là ! souffle Tom en s'engouffrant dans un corridor.

Ils poussent une porte et se retrouvent dans une pièce obscure. Tom referme la porte derrière eux. Léa promène le faisceau de la lampe autour d'elle, éclairant des rangées de sacs et de tonneaux.

– Éclaire-moi, dit Tom. Je vais regarder dans le livre.

– Chut ! fait Léa. Quelqu'un vient !
Elle éteint la lampe, et tous deux se collent contre le mur, de sorte que le battant de la porte les dissimule en s'ouvrant.

Les flammes d'une torche illuminent un instant la pièce. Puis elles s'éloignent, et la porte claque.

– Ouf ! soupire Tom. Ne restons pas là, ils pourraient revenir.

Il sort le livre de son sac, et le feuillette d'une main tremblante :

– Voilà ce que je cherchais ! C'est un plan du château. Regarde, on doit être là, dans un cellier, un endroit où on garde les provisions. Tu vois ? Ce sont des sacs de blé, des tonneaux de vin ou de viande salée !

– On s'en fiche, Tom ! Il faut s'en aller d'ici avant qu'on nous rattrape !

– Alors, on grimpe sur ce rempart, jusqu'au chemin de ronde !

– Sur le rempart ? T'es fou ! Si les gardes

nous prennent, ils vont encore nous enfermer dans cet affreux cachot !

– Ne t'inquiète pas, et suis-moi !

Tom referme le livre, le range dans le sac, remet le sac sur son dos et ouvre prudemment la porte :

– Personne ! Viens, on y va !

Et il commence à remonter l'escalier en colimaçon. Léa trébuche dans l'obscurité et grogne :

– On n'y voit rien ! Tant pis, je rallume la lampe !

Un rond de lumière pâle éclaire à peine les marches de pierre.

– Zut ! Les piles sont presque mortes !

Ils franchissent un palier, un autre.

– C'est haut, râle Léa, essoufflée. T'es vraiment sûr que...

– Chut ! On y est presque. Plus qu'un étage !

À cet instant, la lampe s'éteint. Un vent froid s'engouffre dans l'escalier et les fait frissonner. Ils escaladent les dernières marches à tâtons. Enfin, un morceau de ciel étoilé apparaît, dans un rectangle de pierre : une porte !

Tom et Léa passent la tête par l'ouverture. Ils sont sur le chemin de ronde. Ils écoutent. Pas un bruit. Ils avancent sur la pointe des pieds. Personne.

– Bon, fait Léa. Maintenant, tu m'expliques comment on s'en va d'ici ?

– Facile, dit Tom. On redescend !

– Quoi ? Pourquoi on est montés, alors ?

Tom rit tout bas :

– Parce que, dans le livre, j'ai lu quelque chose de très intéressant !

Il regarde autour de lui et désigne un carré de pierres, quelques mètres plus loin :

– Ouais ! Il est là ! Le passage par où on va s'échapper !

Et Tom récite :

**Les assiégés pouvaient s'enfuir
par des ouvertures creusées
dans le chemin de ronde, les glissières,
qui aboutissaient dans les douves.**

– Des... glissières ? répète Léa, pas très convaincue.

– Ben oui. Ça doit être une sorte de toboggan !

– Moi, j'aimerais mieux repasser par la cour !
Mais des pas lourds résonnent dans
l'escalier. Les gardes ont retrouvé leur
piste ! Ils arrivent !

– Dépêche-toi ! s'affole Tom.

Il ajuste le sac sur son dos, prend sa sœur
par la main et l'entraîne vers une espèce
de trou carré.

– Vas-y, je te suis !

– Mais, Tom...

– On les tient, ces sales petits voleurs !
lance une grosse voix.

Léa n'hésite plus. Elle ferme les yeux et
saute dans le trou.

Elle glisse, elle glisse. Il lui semble que
sa chute ne finira jamais. Elle entend Tom
crier derrière elle. Soudain, elle tombe
dans le vide.

SPLASH !

Le chevalier

Léa s'enfonce dans une eau noire et froide. Elle donne de grands coups de pied pour remonter à la surface. Elle tousse, crache, et appelle :

– Tom ?

SPLASH !

Son frère est tombé près d'elle. Dans la pâle lumière de la lune, elle l'aperçoit qui émerge. D'une main, il tient ses lunettes, et de l'autre, il rame pour se maintenir sur l'eau :

– On est dans les douves !

– J'espère qu'il n'y a pas de bêtes, dedans !

– Mais non ! Juste des grenouilles ! Nage ! Il faut sortir de là !

Alourdis par leurs vête- ments trempés, ils se débattent comme des petits chiens.

– Elle est où, la rive, Tom ? Il y a trop de brouillard !

– Courage, on y est presque.

À cet instant, un drôle de clapotis agite l'eau, juste à côté. Pas de bêtes, dans les douves ? Tom n'en est plus si sûr, tout à coup ! Il essaie de nager plus vite.

Soudain, il touche quelque chose de lisse et de froid :

– Aaaaaaah !

– C'est moi, Tom ! Je suis sur la rive. Attrape ma main !

Léa tire son frère, et ils s'écroulent, hale-
tants et trempés, sur l'herbe humide.

Sauvés !

Dans le brouillard, la haute silhouette du
château s'élève comme un fantôme, au-
dessus des douves.

– On... on a réussi ! fait Léa en claquant
des dents.

– Oui..., on... on s'en est sortis ! Mais où est-on ?

Le brouillard a tout avalé. Où est le pont-levis ? Où sont les remparts ?

Et où est le chêne avec la cabane magique ? Léa n'a pas lâché la torche. Mais elle a beau appuyer sur l'interrupteur, pas de lumière. Pris au piège ! Pas dans un sinistre donjon, cette fois, mais dans la nuit glaciale d'une époque lointaine !

– Hiiiiiiiiiiiiiiii !

Un cheval hennit, tout près de là. Un coup de vent chasse les nuages. Une grosse lune ronde apparaît dans le ciel et verse sur le brouillard une clarté blanche comme du lait. Et le chevalier est là.

Il est là, immobile sur son cheval noir. Son armure luit sous la lune. La visière de son heaume est baissée, et on ne voit pas son visage. Mais Tom et Léa savent bien qu'il les regarde.

Sous la lune

Les deux enfants restent pétrifiés.

Le chevalier lève sa main gantée de fer.

– Viens, Tom, murmure Léa. Il veut nous aider !

– Comment tu le sais ?

– Je le sens, c'est tout !

Léa avance de quelques pas. Le chevalier met pied à terre. Il soulève la petite fille et la pose sur le dos du cheval.

– Viens, Tom, répète Léa.

Tom s'approche lentement, comme dans un rêve. Le chevalier le soulève à son tour

et l'installe derrière Léa. Puis il se remet en selle et secoue les rênes. Le cheval s'élance au petit galop le long des douves. Tom se laisse emporter. Le vent ébouriffe ses cheveux. Il se sent brave, magnifique, invincible !

Il lui semble qu'il pourrait chevaucher ainsi jusqu'au bout du monde avec le mystérieux chevalier. Au-delà des terres, au-delà des mers, jusqu'à la Lune !

Un hibou ulule au loin.

– La cabane magique est là-bas ! crie Léa.

Le chevalier mène son cheval vers la lisière d'un bois. Ils pénètrent sous les arbres.

– La voilà !

Le chevalier arrête sa monture sous le chêne. Il met pied à terre et aide Léa à descendre.

– Merci, Monseigneur, dit-elle en faisant une révérence.

Puis, c'est au tour de Tom.

– Merci, dit-il en s'inclinant. Le chevalier se remet en selle. Il lève sa main gantée de fer, il éperonne son cheval et disparaît dans le brouillard.

Léa empoigne l'échelle et commence à monter. Tom la suit. Quand ils arrivent dans la cabane, ils courent à la fenêtre et regardent. Des lambeaux de nuages passent devant la lune. Un bref instant, Tom croit voir l'armure du chevalier étinceler, très loin, au sommet de la colline.

Puis la lune disparaît complètement derrière les nuages, et tout s'efface.

– Il est parti, murmure Léa.

Tom grelotte, dans ses vêtements trempés.

– Moi aussi, j'ai froid, dit Léa. Où est le livre avec l'image de notre bois ?

Tom entend sa sœur remuer les livres dans le noir.

– Je crois que c'est celui-ci. Je sens un marque-page en soie.

Tom n'écoute qu'à moitié. Il espère voir encore une fois l'armure du chevalier briller quelque part au fond de la nuit.

– Je vais essayer avec celui-là, marmonne Léa, ça doit être le bon.

Elle pose le doigt sur la page marquée par le signet de soie et déclare à voix haute :

– Je veux retourner tout de suite dans le bois de Belleville !

Le vent se met à souffler doucement.

– J'espère que j'ai désigné la bonne page sur le bon livre ! murmure Léa.

Tom se retourne brusquement :

– Comment ça, la bonne page, le bon livre ?

Le vent souffle plus fort. Lentement, la cabane se met à tourner.

– Pourvu que je n'aie pas mis la main sur le livre des dinosaures ! reprend Léa.

– STOOOOOP ! crie Tom.

Trop tard ! La cabane tourne plus vite, de plus en plus vite. Le vent hurle.

Et soudain, c'est le silence.

Un silence total.

Un petit bout du mystère

Il fait doux. L'aube se lève. Un chien aboie au loin.

– C'est Black ! dit Léa. On est revenus chez nous ! Enfin, j'espère...

Ils se penchent à la fenêtre.

– On a de la chance ! murmure Tom.

Là-bas, les réverbères de leur petite ville sont encore allumés. Au premier étage de leur maison, la lumière brille à l'une des fenêtres.

– Aïe ! gémit Léa. Papa et maman ont l'air d'être réveillés ! On a intérêt à se dépêcher !

– Attends, dit Tom.

Il ouvre son sac à dos ; il en sort le livre sur les châteaux forts, tout trempé. Il le replace parmi les autres livres.

– Vite, Tom ! le presse Léa, déjà sur les premiers échelons. Son frère descend derrière elle. Dès qu'ils ont mis le pied par terre, ils s'élancent au pas de course.

Ils remontent le sentier dans les bois, ils cavalent le long des rues désertes.

Ils poussent la barrière de leur jardin, traversent la pelouse, foncent vers la porte de derrière et se glissent dans la maison.

– Les parents ne sont pas encore descendus, chuchote Léa.

– Ouf ! souffle Tom.

Il se dirige prudemment vers les escaliers. Personne en bas. Mais on entend l'eau couler dans la salle de bain.

Que leur maison est différente du froid et sombre château ! Tout y est tellement confortable !

Arrivée devant sa porte, Léa fait un petit signe à son frère, puis elle disparaît dans sa chambre. Tom entre vite dans la sienne.

Il enlève ses vêtements trempés et enfile son pyjama bien sec.

Il s'assied sur le lit et ouvre son sac à dos. Il en sort son carnet mouillé. Il fouille au

fond pour trouver son crayon. Sa main touche alors quelque chose.

Tom retire du sac le signet de cuir bleu. Il a dû tomber du livre sur les châteaux forts. Tom approche le marque-page de sa lampe pour mieux le regarder. Le cuir est usé et un peu déchiré, il a l'air très ancien. Une lettre est imprimée dessus.

Un grand M !

Tom ouvre le tiroir de sa table de nuit et prend le médaillon. Il compare les deux lettres. Voilà qui est intéressant...

Le même M sur le médaillon et sur le marque-page ! La personne qui a laissé tomber son médaillon au temps des dinosaures est donc bien le propriétaire des livres de la cabane dans l'arbre !

Seulement, qui est cette personne ? Le mystère reste entier.

Tom dépose le signet et le médaillon dans le tiroir, qu'il referme.

Il s'allonge sur son lit. Puis il prend son crayon, et sur la page la moins mouillée de son carnet, il essaie de noter cette nouvelle information :

Le même...

Mais, avant qu'il ait tracé le grand M, ses yeux se ferment.

Tom rêve. Il rêve qu'il est de nouveau en selle avec le chevalier. Le cheval noir les emporte au galop dans le brouillard et dans la nuit. Et, très haut dans le ciel, la lune ronde les regarde.

À suivre...

Découvre vite la suite

des aventures de Tom et Léa dans

Le secret de la pyramide.

La Cabane magique

propulse
Tom et Léa
dans l'Égypte
ancienne

*À Patrick Robbins
qui est passionné par l'Égypte ancienne.*

Titre original : *Mummies in the Morning*
© Texte, 1993, Mary Pope Osborne.
Publié avec l'autorisation de Random House Children's Books,
un département de Random House, Inc., New York, New York, USA.
© 2002, Bayard Éditions Jeunesse pour la traduction française
et les illustrations.

Le **secret**
de la **pyramide**

Mary Pope Osborne

Traduit et adapté de l'américain
par Marie-Hélène Delval

Illustré par Philippe Masson

Un chat noir

– Elle est toujours là, dit Tom.

– Et il n'y a personne dedans, ajoute Léa.

Tom et sa petite sœur se tiennent au pied du grand chêne, le nez en l'air. Ils regardent la cabane, tout en haut.

Le soleil de midi éclaire le bois. Ce sera bientôt l'heure de rentrer déjeuner.

– Écoute ! fait Tom. C'est quoi, ce bruit ?

– Quel bruit ?

– J'ai entendu quelque chose, insiste Tom. Une sorte de toux.

– Moi, je n'ai rien entendu. Allez, viens,

on monte !

Léa empoigne l'échelle de corde et commence à grimper.

Tom se dirige à pas de loup vers un buisson. Il écarte les branches et demande :

– Il y a quelqu'un, ici ?

Pas de réponse.

– Qu'est-ce que tu attends ? lui lance Léa. Monte ! Tout est exactement comme hier !

Tom ne bouge pas. Il a le sentiment d'une présence. Serait-ce la personne qui a déposé les livres dans la cabane ? Celle dont le nom commence par un M ? Est-ce qu'elle les observe, cachée quelque part ?

– Tom !

Un léger coup de vent agite les branches, les feuilles frémissent.

– Tom ! Tu montes, ou quoi ? s'impatiente sa sœur.

Tom revient vers le chêne et grimpe à l'échelle à son tour.

Arrivé à la cabane, il passe à travers la trappe, pose son petit sac à dos et remonte ses lunettes sur son nez.

– Bon, dit Léa, qu'est-ce qu'on choisit, aujourd'hui ?

En fouillant dans les livres répandus sur le sol de la cabane, elle retrouve celui sur les châteaux forts :

– Hé ! Il est déjà sec !

– Montre !

Tom examine le livre, très étonné. Il n'est même pas abîmé. La veille au soir, il était complètement trempé, après leur chute dans les douves du château ![1]

Tom a une pensée reconnaissante pour le mystérieux chevalier qui les a tirés d'affaire.

– Tu te souviens de celui-là ? demande Léa, en brandissant le livre des dinosaures.

– Bien sûr, que je m'en souviens ! répond Tom. Repose-le !

L'avant-veille, ce livre les a emmenés au temps des dinosaures.[2] Et Tom remercie en silence le ptéranodon. Sans la grosse bête volante, il aurait fini entre les mâchoires du redoutable tyrannosaure !

1. Lire le tome 2, *Le mystérieux chevalier.*
2. Lire le tome 1, *La vallée des dinosaures.*

Léa remet l'ouvrage au milieu des autres.
Soudain, elle pousse une exclamation :
– Regarde celui-là !
Elle tend à Tom un livre sur
l'Égypte ancienne.
Il le prend en retenant
son souffle. Un signet
de soie verte dépasse
d'entre les pages.
Le garçon ouvre le
volume à l'endroit marqué.
L'image représente une procession
qui s'avance vers une haute pyramide.
Quatre grands bœufs à longues cornes
tirent un traîneau, sur lequel est posé un
coffre doré. Des prêtres égyptiens le suivent.
Et derrière eux marche un chat noir.
– On va là-bas, d'accord ? murmure Léa.
– Une minute, je jette un coup d'œil.
– Les pyramides, Tom ! Tu t'intéresses
tellement aux pyramides !

Léa a raison. Les pyramides passionnent Tom ; plus que les chevaliers, et bien plus que les dinosaures ! Et puis, au moins, on ne risque pas d'être dévoré par une pyramide !

– D'accord, dit-il, on y va.

Tom pose son doigt sur l'image de la pyramide, il s'éclaircit la gorge et déclare :

– Nous souhaitons découvrir cette pyramide pour de vrai !

À peine a-t-il fini de parler que le vent se met à souffler. Les feuilles frémissent.

– Ça marche ! s'écrie Léa. C'est vraiment super, hein, Tom !

Le vent souffle plus fort, de plus en plus fort. La cabane commence à tourner...

Tom ferme les yeux.

La cabane tourne plus vite, encore plus vite, de plus en plus vite... Elle tourbillonne comme une toupie folle. Puis tout se calme. Plus un son, plus un murmure. Tom ouvre les yeux. Un soleil brûlant l'éblouit.

Miaou !

Un chat est perché sur une feuille de palmier, juste devant la fenêtre. L'animal regarde Tom et Léa.

C'est le chat le plus étrange qu'ils aient jamais vu. Il a un corps allongé, un pelage

d'un noir luisant, des yeux jaunes. Et il
porte un large collier d'or.

– Le chat du livre ! chuchote Léa. Le chat
égyptien !

Miaou !

Le chat miaule de nouveau, comme s'il
invitait les enfants à le suivre.

Un mirage

En se penchant à la fenêtre, Léa constate que la cabane est maintenant perchée en haut d'un palmier. D'autres palmiers, autour, mettent une tache de vert sur le sable du désert.

Miaou !

Le chat est assis au pied de l'arbre. Ses yeux jaunes fixent les enfants.

– Bonjour, chat ! le salue Léa.

– Chut ! souffle Tom. Si quelqu'un t'entendait !

– Quelqu'un ? Ici ? En plein désert ?

Le chat se lève et s'éloigne à petits pas.
– Hé, chat ! crie Léa. Attends-nous !
Penchée à la fenêtre, elle fait signe à son
frère d'approcher :
– Viens voir, Tom !

Au milieu des sables s'élève une immense
pyramide. Vers elle s'avance une procession, la même, exactement, que sur
l'image du livre !

– Qui sont tous ces gens ? demande Léa.

Tom ouvre le livre et lit la légende sous l'image :

À la mort d'une personne de sang royal, une procession funèbre l'accompagnait jusqu'à sa tombe. La famille, des prêtres et des pleureuses suivaient le sarcophage, placé sur un traîneau tiré par quatre bœufs.

– C'est un enterrement égyptien, explique Tom. Le coffre s'appelle un sar... sar..., enfin, c'est une sorte de cercueil !
– Oh ! s'exclame Léa. Le chat noir a rejoint la procession !
Les bœufs, les Égyptiens, le traîneau, le chat, tout bouge avec une étrange lenteur, comme dans un rêve.
– Je vais prendre des notes, décide Tom.
Il fouille dans son sac, il en tire son carnet, et il écrit :

Le cercueil égyptien s'appelle un sarcophage.

– On ferait bien de se dépêcher si on veut voir la momie ! déclare Léa.

Elle se dirige vers la trappe. Tom lève le nez de son carnet :

– Quelle momie ?

– Il y a sûrement une momie dans cette boîte en or ! On est dans l'Égypte d'autrefois, rappelle-toi !

Tom s'intéresse beaucoup aux momies. Il range son stylo.

– Moi, j'y vais, décide Léa.

– Hé, attends-moi !

– Une momie, une momie ! chantonne Léa en descendant le long de l'échelle.

Voir une momie de près ! Tom ne veut pas manquer ça ! Il fourre vite son carnet et le livre sur l'Égypte ancienne dans son sac, et il se précipite derrière sa sœur.

Ils sautent sur le sable et courent vers le cortège funèbre.

Mais il se passe une chose étrange. Plus ils approchent de la procession, plus celle-ci devient floue. Et brusquement, elle s'efface et disparaît ! Seule la grande pyramide reste là, imposante, sous le soleil écrasant. Les deux enfants s'arrêtent, un peu essoufflés. Ils regardent autour d'eux. Où sont les bœufs, le sarcophage en or, les gens, le chat ?

– Ça alors ! s'étonne Tom. Ils ne se sont quand même pas volatilisés ?

– C'étaient peut-être des fantômes...

– Ne sois pas bête ! grommelle Tom. Les fantômes, ça n'existe pas. Ce devait être un mirage.

– Un quoi ?

– Un mirage. Ça arrive souvent, dans le désert. Des choses ont l'air d'être là, mais ce n'est qu'une image fabriquée par les rayons du soleil dans l'air chaud.

Léa hausse les épaules :

– Comment des rayons de soleil peuvent-ils fabriquer des bœufs et une boîte à momie ? Je te dis que c'étaient des fantômes !

– Mais non !

À cet instant, Léa pointe le doigt et s'écrie :

– Le chat noir ! Il est là-bas !

Le chat est au pied de la pyramide, tout seul. Il a l'air de les attendre.

– Lui, en tout cas, déclare Léa, ce n'est pas un mirage !

Le chat longe la base de la pyramide, et disparaît derrière un angle.

– Où est-il passé ? murmure Tom.

– Vite, lance Léa. Rattrapons-le !

Ils partent en courant et tournent à l'angle juste à temps pour voir l'animal pénétrer dans la pyramide par une étroite ouverture.

La maison de la mort

– Le chat est entré là ! s'exclame Tom.

Les deux enfants se penchent vers l'ouverture. Dans l'obscurité, ils devinent un long corridor.

Des torches éclairent les murs et font danser les ombres.

– On le suit, décide Léa.

– Attends ! la retient Tom. Je voudrais voir ce que dit le livre.

Il le sort de son sac et le feuillette jusqu'à ce qu'il trouve le chapitre consacré aux pyramides. Puis, il lit à haute voix :

**Les pyramides étaient aussi appelées
« Maisons de la Mort ».
C'étaient les tombeaux des pharaons
et des membres de la famille royale,
dont les corps reposaient dans
les chambres funéraires.**

– Bon, conclut Léa. Il faut trouver une chambre funéraire si on veut voir une momie !

Tom prend une grande inspiration, et il pénètre dans l'inquiétant corridor, laissant derrière lui la lumière et la chaleur.

Quel silence ! Les murs, le sol, le plafond, tout est en pierre. Le couloir monte en pente douce.

– Avance, Tom, le presse Léa.

– On y va ! Mais reste bien derrière moi, ne fais pas de bruit, ne parle pas, ne...

– Oui, oui ! J'ai compris ! Avance ! grogne sa sœur en le poussant dans le dos.

Tom
gravit lente-
ment la pente. Où
est-il, ce drôle de chat ? Le couloir
s'enfonce au cœur de la pyramide.
– Attends, dit Tom. Je jette un coup d'œil
sur le livre.

Il le sort de nouveau de son sac, l'approche d'une torche accrochée au mur et le feuillette pour trouver la description de l'intérieur d'une pyramide.

– La chambre funéraire est au centre, là, explique-t-il en montrant une image. C'est tout droit !

À l'intérieur d'une pyramid

Tom referme le livre, le coince sous son bras et se remet en marche.

Bientôt, le couloir cesse de monter. Une odeur de moisi et de renfermé flotte dans l'air. Tom consulte encore le livre et il déclare :

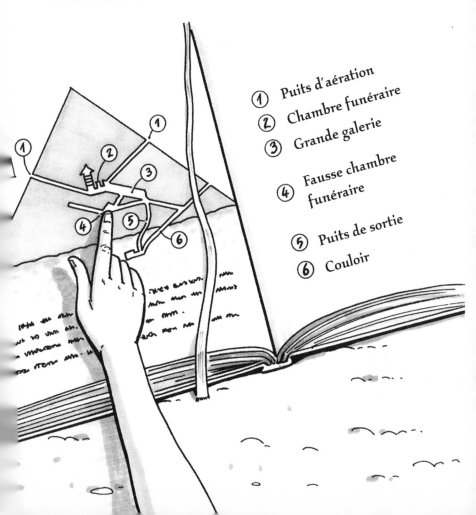

① Puits d'aération
② Chambre funéraire
③ Grande galerie
④ Fausse chambre funéraire
⑤ Puits de sortie
⑥ Couloir

– On ne doit plus être bien loin. Tu vois ce plan ? Le corridor grimpe, puis devient horizontal. Et on arrive devant la chambre !

À cet instant, un long cri résonne lugubrement entre les murs de pierre. D'effroi, Tom lâche son livre. Léa s'accroche au bras de son frère. Une forme blanche sort de l'ombre et flotte lentement vers eux. Une momie !

– Elle est vivante ! souffle Léa.

La belle Égyptienne

Tom n'a que le temps de tirer sa sœur en arrière. La silhouette blanche les frôle et disparaît dans l'obscurité.

– C'était une momie, chuchote Léa. Une momie sortie du monde des morts !

– Imp... imp... impossible, bégaye Tom. Les momies ne reviennent pas à la vie !

Il se baisse pour ramasser son livre, et aperçoit sur le sol un bâton en or surmonté d'une tête de chien sculptée.

– Oh ! s'écrie Léa. C'est la momie qui a laissé tomber ça ?

– On dirait un sceptre, murmure Tom, en observant l'objet à la lumière d'une torche.

– Un spectre ?

– Non, un sceptre. Un truc que les rois et les reines tiennent à la main pour montrer qu'ils sont puissants.

Léa se met à crier :

– Reviens, momie ! Tu as oublié ton sceptre !

– Chut ! fait Tom. T'es folle, ou quoi ?

– Mais, la momie...

– Ce n'était pas une momie ! C'était quelqu'un de vivant !

– Quelqu'un qui se promène dans une pyramide déguisé en momie ? Mais pourquoi ?

– Je ne sais pas. Je vais vérifier.

Tom feuillette le livre, et il finit par tomber sur une image qui montre une silhouette se faufilant dans un corridor. Il lit :

**Des pilleurs de tombes ont souvent réussi à voler les fabuleux trésors enterrés avec les momies. Pourtant, des faux passages étaient construits pour les empêcher d'entrer...
ou de ressortir !**

Tom déclare :

– Voilà ! Ce quelqu'un, c'était un pilleur de tombes.

– Un voleur ?

– Oui, un voleur qui cherche un trésor.

– Et si c'est nous qu'il trouve ? On ferait peut-être mieux de s'en aller...

– Attends, je note juste un truc dans mon carnet.

Tom reprend son stylo, et commence à écrire :

Les pilleurs de tombes...

Léa le secoue par la manche :
– Tom !
– Une minute !
Il continue :

Les pilleurs de tombes
essayaient de voler...

– Tom, regarde !
Le garçon sent un souffle d'air froid.
Il lève la tête.
Une silhouette s'avance lentement vers eux.
Ce n'est pas un pilleur de tombes, c'est une dame. Une très belle dame égyptienne. Des fleurs ornent ses cheveux noirs. Elle porte une longue robe plissée et de

magnifiques bijoux d'or autour du cou et des poignets.

– Hé, Tom, chuchote Léa, rends-lui son bâton !

La dame s'arrête devant les enfants. Tom lui tend le sceptre d'une main tremblante. Et il pousse une exclamation : le sceptre est passé à travers la dame comme si son corps était fait de brouillard !

La reine fantôme

Tom reste pétrifié.

– C'est un fantôme ! souffle Léa.

La voix de l'apparition s'élève alors, comme un écho venu de très loin :

– Je suis Hutépi, reine du Nil. Êtes-vous ici pour m'aider ?

– Ben, euh..., oui, bafouille Léa.

Tom, lui, est incapable de prononcer un mot.

– Voilà mille ans que je vous attends ! soupire la reine fantôme.

Le cœur de Tom cogne dans sa poitrine à grands coups. La reine poursuit :

179

– Je vous en prie, aidez-moi à retrouver mon Livre des Morts !

Léa n'a déjà plus peur du tout, et demande :

– Qu'est-ce qu'il raconte, ce Livre des Morts ?

– Il contient les textes magiques qui me protégeront dans ma traversée du Monde d'En Bas.

– Le Monde d'En Bas ?

– Oui. Avant d'entrer dans l'au-delà, il me faut affronter les horreurs du Monde d'En Bas.

– Quelles horreurs ? s'informe Léa, très intéressée.

– Les serpents venimeux, les lacs de feu, les monstres, les démons...

– Oh ! fait Léa en se rapprochant de Tom.

La voix de la reine résonne tristement dans le long corridor :

– Mon frère a caché le Livre des Morts pour que les pilleurs de tombes ne le dérobent pas.

Puis il a gravé sur la pierre un message secret afin que je le retrouve.

Elle désigne le mur derrière elle.

– Ces drôles de petits signes, là ? s'étonne Léa. Qu'est-ce qu'ils veulent dire ?

Un sourire désolé passe sur le visage de la reine :

– Hélas ! Mon frère a oublié que mes yeux ne voient pas bien. Depuis mille ans, j'erre dans ce tombeau sans avoir jamais pu déchiffrer son message !

– Vous êtes comme Tom ! s'écrie Léa. Lui non plus, il n'y voit rien sans ses lunettes !

La reine fantôme se tourne vers le garçon, intriguée.

– Prête-lui tes lunettes, Tom ! ordonne Léa.

Sans un mot, Tom retire ses lunettes et les tend à la belle Égyptienne. Mais celle-ci recule d'un pas :

– Je ne peux pas porter tes... euh, lunettes, mon garçon. Je ne suis qu'une brume, une apparition ! Mais voulez-vous me décrire les hiéroglyphes gravés sur ce mur ?

– Des iro... quoi ? demande Léa.

– Hiéroglyphes ! la reprend Tom, retrouvant l'usage de la parole. C'est l'ancienne écriture égyptienne. Ça ressemble à des petits dessins.

– Exactement, approuve la reine. Merci !

Tom remet ses lunettes, les remonte sur son nez. Il s'approche du mur, le regarde longuement.

Puis il soupire :

– Oh là là, c'est du chinois ! Enfin, je veux dire... je n'y comprends rien !

Un message
sur le mur

Une ligne de minuscules dessins est gravée sur le mur. Tom explique :

– Il y a quatre petites images.

– Décris-les-moi, demande la reine fantôme.
L'une après l'autre, lentement, s'il te plaît !

– D'accord.

Tom observe de près le premier dessin.

 – D'abord, il y a un truc comme
ça, dit-il en traçant un zigzag
en l'air.

– Comme un escalier ?

– C'est ça ! Un escalier !

183

Bon, jusque-là, c'est facile. Tom se penche
sur le deuxième dessin.

 – Là, il y a un rectangle,
comme une longue boîte.
L'Égyptienne semble perplexe.
Léa regarde à son tour et montre
avec son doigt :
– Au-dessus du rectangle,
ça fait comme ça. On
dirait un chapeau.

– Un chapeau ? répète la reine.

– Euh..., oui. Ou peut-être un bateau.

La reine est tout excitée. Elle répète :

– Un bateau !

– Oui, confirme Tom. Ça pourrait bien re-
présenter un bateau avec une voile !

Le visage de la reine s'éclaire.

– Bien sûr, murmure-t-elle. Un bateau !

Tom et Léa regardent le troisième dessin.

– Facile ! se réjouit Léa. C'est un
vase !

– Plutôt une cruche, corrige Tom.

– Avec une anse ? demande la reine.

– C'est ça.

– Et le quatrième dessin, explique
Léa, ressemble à un manche de
parapluie.

– Ou à une canne trop courte ! dit Tom.

Et, comme la reine n'a pas l'air de
comprendre, il ajoute :

– Attendez, je vais recopier le dessin en

grand sur une page de mon carnet, pour vous montrer !

Il pose le sceptre, qu'il tenait toujours à la main, et prend son crayon.

– Je vois, murmure la reine, quand il a fini de dessiner. C'est une étoffe pliée.

– Euh... pas vraiment...

– Si, c'est le hiéroglyphe qui signifie « étoffe pliée ».

– Ah bon, fait Tom.

Il regarde de nouveau le quatrième hiéroglyphe. Une étoffe pliée ? Ça ressemble plutôt à une serviette sur un rebord de baignoire !

– Voilà ! récapitule Léa en désignant chaque signe. Un escalier, un bateau, une cruche, une étoffe. Vous avez compris le message, madame la reine ?

Mais la reine morte ne répond pas. Légère comme une brume, elle s'enfonce dans les profondeurs du corridor.

7

Le rouleau

– Vite ! s'écrie Léa. Suivons-la ! Elle va nous mener à sa chambre funéraire !

Tom se dépêche de ranger le sceptre, son carnet et son stylo dans son sac à dos. Puis il s'élance avec Léa sur les traces de la reine. Celle-ci les entraîne au cœur de la pyramide.

Soudain, Tom s'arrête :

– L'escalier ! Le voilà !

La reine s'élève déjà au-dessus des marches. Puis Tom et Léa la voient passer au travers d'une haute porte de bois. Ils montent l'escalier à leur tour et poussent la porte. Elle s'ouvre lentement. Ils pénètrent dans une pièce froide ornée de hautes colonnes.

La reine fantôme a disparu.

La salle est immense, à peine éclairée par la lumière des torches. Partout sont empilés des tables, des chaises, des coffres et des instruments de musique. Au milieu, il y a une petite barque de bois.

– Le bateau ! s'exclame Tom.

– À quoi ça sert, un bateau, à l'intérieur d'une pyramide ? s'étonne Léa.

– C'est sans doute le bateau qui doit emporter la reine Hutépi dans l'au-delà, chuchote Tom.

Les deux enfants s'approchent de la barque. Elle est remplie de toutes sortes d'objets : des plats d'or, des poteries, des paniers, des colliers de pierres bleues, des statuettes de bois...

Tom prend dans la barque une cruche en terre cuite :

– Regarde, Léa ! La cruche !

– Qu'est-ce qu'il y a dedans ?

Tom passe la main à l'intérieur.

– Je sens un tissu.

– L'étoffe pliée ! Sors-la vite, Tom !

Tom secoue la cruche. Il en tombe un long objet enveloppé dans un morceau de tissu. Tom le déballe avec précaution et découvre un rouleau.

– On dirait un vieux papier, constate Léa.

– C'est un papyrus, explique Tom. Les anciens Égyptiens fabriquaient le papyrus avec des roseaux.

– Il y a quelque chose d'écrit, dessus ?

Tom déroule soigneu-
sement le papyrus. Il est couvert
de magnifiques hiéroglyphes !
– Le Livre des Morts ! murmure Léa. Le
livre de la reine !

– Ça alors ! souffle Tom, impressionné.

– Reine Hutépi ! appelle Léa. On l'a trouvé !
On a trouvé votre Livre des Morts !
Pas de réponse.

– Reine Hutépi !

À l'autre bout de la salle, une porte s'entrouvre.

– Par là ! crie Léa. Elle est sûrement par là !

Un souffle d'air glacé se glisse par l'ouverture.

– On y va, décide Léa.

– Attends...

– Viens ! Ça fait mille ans qu'elle cherche son livre, on ne va pas l'obliger à attendre davantage !

Tom remballe le rouleau de papyrus dans le tissu et range le tout dans son sac. Puis les deux enfants se dirigent vers la porte entrebâillée. Léa la pousse et passe la tête. Elle remarque :

– C'est une autre salle. Elle est vide.

Ils entrent.

Il n'y a rien dans cette salle. Rien qu'un long coffre d'or, dont le couvercle est posé par terre.

– Reine Hutépi ? appelle Léa à mi-voix.

Silence.

– On l'a trouvé, votre Livre des Morts !

Aucune trace de la reine fantôme ! Le coffre d'or luit doucement dans l'obscurité. C'est certainement un sarcophage. Tom ne se sent pas très bien, il a du mal à respirer.

– On n'a qu'à laisser le rouleau ici, propose-t-il.

– On devrait plutôt le poser là-bas, dit Léa. Dans le coffre.

– Tu crois ?

– Mais oui ! De quoi tu as peur ?

Léa prend son frère par la main. Ils s'avancent jusqu'au coffre doré. Ils se penchent, et ils voient...

8

La momie

Une momie ! Une vraie !

Une momie enveloppée de bandelettes à demi défaites, découvrant un visage couleur de vieux parchemin. La bouche entrouverte montre des dents cassées. La peau est flétrie, le nez écrasé.

Les paupières sont fermées sur des orbites creuses.

C'est certainement elle ! C'est Hutépi, reine du Nil !

– Viens, Tom, balbutie Léa, subitement moins courageuse. On ne reste pas là !

– Une minute ! dit Tom.

Il sort le livre de son sac et le feuillette pour trouver le chapitre sur les momies. Il lit à haute voix :

Les anciens Égyptiens croyaient que les morts avaient besoin de leurs corps dans leur nouvelle vie. Ils les embaumaient donc pour les conserver. Les embaumeurs enlevaient d'abord le cerveau par les narines.

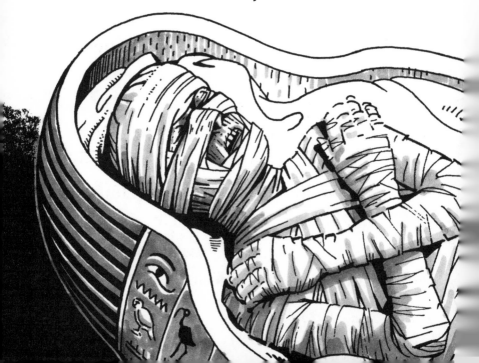

– Berk ! grimace Léa. C'est dégoûtant !

– Mais non, c'est intéressant. Écoute :

**Ils retiraient ensuite les organes,
qu'ils plaçaient dans des vases.
Le corps était alors séché dans un
bain de sel, puis rembourré, recouvert
d'huile et enveloppé de bandelettes.**

Léa est déjà à la porte. Elle lance :

– Tu restes avec ta momie si tu veux. Moi, je m'en vais !

– Léa ! Attends ! On ne lui a pas donné le Livre des Morts !

Mais Léa a disparu.

Tom fouille dans son sac. Il en sort le sceptre et le rouleau, qu'il dépose dans le sarcophage.

Est-ce un effet de son imagination ? Il lui

semble entendre un léger murmure. Et le visage de la momie paraît apaisé.

Tom s'en va sur la pointe des pieds en retenant son souffle. Il traverse la salle où ils ont découvert le bateau, il redescend les escaliers.

Arrivé en bas, il pousse un long soupir de soulagement. Il cherche sa sœur des yeux ; le corridor est vide.

– Léa ?

Pas de réponse.

« Où est-elle encore passée, celle-là ? » pense-t-il, agacé.

Il avance le long du couloir en appelant :

– Léa ? Tu es là ?

Serait-elle sortie de la pyramide ?

– Léa ?

Soudain, il entend au loin la voix de sa sœur :

– Tom ! Au secours !

Léa est en danger !

Tom s'élance dans la direction d'où vient la voix.

– Au secours, Tom !

La voix est de plus en plus faible. Tom s'arrête. Il est parti dans le mauvais sens !

– Léa ! appelle-t-il en revenant vers la chambre funéraire.

– Tom !

C'est par là !

Tom monte les escaliers

quatre à quatre, il pénètre de nouveau dans la salle pleine de meubles. Il la parcourt du regard. Les instruments de musique, le bateau... Et, là, une autre porte !

Tom pousse le battant. Il se retrouve bientôt devant un escalier, exactement semblable au premier. Tom le descend. Il arrive dans un corridor éclairé par des torches. Un corridor exactement semblable à l'autre corridor...

– Léa !

– Tom ! Je suis là !

La petite fille court vers lui et se jette dans ses bras :

– Je me suis perdue !

Tom la serre très fort contre lui. Il a eu tellement peur ! Il prend quand même un ton sévère pour la gronder :

– Pourquoi es-tu partie sans m'attendre, aussi ? On n'est pas dans le bois de Belleville ! On est dans une pyramide ! Au temps

des anciens Égyptiens ! Et ça, c'est certainement un faux passage, construit pour égarer les pilleurs de tombes !

– Un faux passage ? répète Léa, encore toute tremblante.

– Oui. Il ressemble à celui qui mène dehors, mais c'est un faux ! On va retourner dans la salle au bateau. Et on retrouvera la bonne porte !

À cet instant, ils entendent un grincement. Ils se retournent.

Là, en haut des escaliers, ils voient avec horreur la porte tourner lentement sur ses gonds. Elle se referme avec un bruit sourd qui résonne longtemps dans les entrailles de la pyramide.

Et les torches s'éteignent d'un coup.

9

Prisonniers

Nuit noire !

– Qu'est-ce... qu'est-ce qui s'est passé ? balbutie Léa, terrifiée.

– Je ne sais pas. C'est bizarre... Il faut sortir de là ! Viens, on va essayer d'ouvrir la porte.

– Bonne idée, répond Léa d'une petite voix.

Ils remontent les escaliers à tâtons.

– Ne t'inquiète pas, dit Tom d'un ton aussi calme que possible. On y arrivera.

– Oui, on y arrivera, répète Léa.

En vérité, Tom n'est pas rassuré. Il repense à ce qu'il a lu dans le livre : les passages

secrets servaient à empêcher les pilleurs
d'entrer ou... de ressortir !

Ils appuient sur le battant de la porte et
poussent. Elle ne bouge pas.

Ils poussent encore, de toutes leurs forces.
Ils s'arc-boutent contre le battant.

En vain.

Tom prend une grande inspiration. Il a l'impression de manquer d'air et son cœur bat si
fort qu'il en tremble.

– Qu'est-ce qu'on va faire ?
murmure Léa.

– On va... se reposer un
instant, répond-il, à bout de
souffle.

Il scrute les ténèbres avec
angoisse. Dire que, tout à l'heure, il
pensait qu'on ne pouvait pas être dévoré
par une pyramide ! Les voilà enfermés
comme dans le ventre d'une bête...

– On va redescendre et suivre le couloir, décide-t-il enfin. On trouvera peut-être une autre sortie.

Rien n'est moins certain ; mais ils n'ont guère le choix.

– Viens, on n'a qu'à se diriger en s'appuyant au mur.

Il pose sa main contre la pierre et commence à descendre, marche après marche. Léa le suit.

Ça y est, ils ont atteint le corridor !

Ils continuent d'avancer dans le noir sans lâcher le mur.

Un tournant. Puis des marches, de nouveau : un escalier qui remonte. Une porte. Elle est fermée. Impossible de l'ouvrir. Tom et Léa sont pris au piège !

Léa glisse sa main dans celle de son frère. Ils restent là, immobiles, en haut de l'escalier. Ils écoutent.

Quel silence ! Un silence de tombeau.

Soudain...

Miaou !

– Tu as entendu ? chuchote Tom.

– Le chat ! Il est revenu !

Miaou !

– Il s'éloigne ! crie Tom.

Vite, rattrapons-le !

Ils redescendent l'escalier. La main toujours appuyée au mur, ils longent le couloir à l'aveuglette, à la poursuite de l'invisible chat.

Miaou !

– Attends-nous, chat ! crie Léa.

Maintenant, le couloir descend doucement. Les enfants guettent les miaulements. Des courants d'air les font frissonner. Un tournant, un autre. Le couloir descend toujours.

Puis, tout au fond, comme à la sortie d'un tunnel, ils distinguent une lueur. Ils se mettent à courir comme des fous, et découvrent une fente entre les pierres. De l'autre côté, le soleil brille, si chaud, si lumineux !

Tom et Léa se faufilent dehors par l'étroite ouverture.

– On est sauvés ! s'exclame Léa en cabrio-
lant de joie.

Tom cligne des yeux, ébloui. Il reste pensif.

– Léa, dit-il, comment avons-nous réussi à
sortir d'un faux passage ? D'un piège pour
les voleurs ?

– C'est grâce au chat !

– Mais comment le chat connaissait-il le
chemin ?

– Il est peut-être magique !

Tom réfléchit, les sourcils froncés :

– Mais...

– Le chat ! l'interrompt Léa. Il est là-bas !
Le chat noir trotte dans le sable.

– Merci, chat ! lui lance Léa.

L'animal remue sa longue queue noire,
comme pour leur dire au revoir. Puis il
disparaît dans l'air surchauffé qui semble
vibrer.

Là-bas se dresse un bouquet de palmiers.
Et, tout en haut du plus haut palmier,

comme un nid, est
perchée la cabane.
Les deux enfants se
dirigent vers elle.
Le chemin est long
jusqu'aux palmiers.
Après la fraîcheur
de la pyramide, la
chaleur leur paraît
suffocante.
Enfin, ils arrivent au
pied du palmier. Léa saisit
l'échelle de corde et grimpe.
Tom la suit. Les revoilà dans
la cabane !
Tom cherche vite le livre
avec la photo de leur bois.
Il l'ouvre à la bonne page.
À cet instant, Léa se penche
à la fenêtre et pousse un cri :
– Regarde !

Tom se précipite.

Au loin, un bateau glisse sur le sable, comme s'il voguait sur la mer. Puis l'image tremble et s'efface. Était-ce un mirage ? Ou bien la belle Hutépi, la reine fantôme, a-t-elle commencé son long voyage vers l'au-delà ?

– Allez, Tom, murmure Léa. On rentre à la maison.

Tom pose son doigt sur la photo. Il déclare :

– On voudrait revenir dans le bois de Belleville !

Le vent se met à souffler, les feuilles du palmier bruissent.

Le vent souffle plus fort, encore plus fort. La cabane tourne, plus vite, de plus en plus vite. Elle tourbillonne comme une toupie folle.

Puis elle s'arrête. Plus rien ne bouge.

Quelque part, un oiseau chante.

10

Un nouvel indice

Les rayons du soleil de midi passent gaiement par la fenêtre. Les ombres des feuillages dansent sur les parois de la cabane. Tom est allongé sur le plancher. Il respire profondément.

Léa est déjà penchée à la fenêtre :

– C'est l'heure de rentrer à la maison. Je me demande ce que maman nous prépare pour le déjeuner !

Tom rit tout bas. Maison, maman, déjeuner... Que ces mots sont simples, rassurants !

– Purée-jambon, j'espère !

Il ferme les yeux. Il est merveilleusement bien, là, sur le plancher tiède qui sent bon le bois.

– Quel bazar, ici ! s'exclame Léa. On devrait peut-être mettre un peu d'ordre, au cas où M reviendrait !

M ! Tom l'a complètement oublié ! Rencontreront-ils un jour ce mystérieux M, le propriétaire des livres ?

– On n'a qu'à faire des tas, décide Léa. Je mets le livre sur l'Égypte à part.

– Bonne idée, approuve Tom.

Il n'a guère envie de visiter de sitôt une autre pyramide !

– Et le livre sur les dinosaures avec !

Tom est d'accord. Pas question de se trouver de nouveau dans les pattes d'un tyrannosaure !

– Et le livre sur les châteaux forts par-dessus !

Tom sourit. Il aime l'image du chevalier galopant au clair de lune, sur la couverture du livre. Il lui semble que ce chevalier est un peu son ami.

– Tom ! crie soudain Léa. Regarde !

– Quoi ?

– Regarde, je te dis !

Tom se redresse en grommelant. Il s'approche de sa sœur et se penche vers ce qu'elle lui montre.

D'abord, il ne voit rien. Léa le tire par la main :

– Recule un peu, tu caches la lumière.

Tom s'écarte. Quelque chose est dessiné sur le plancher. Une lettre...

Un M ! Un grand M doré qui étincelle au soleil !

C'est la preuve que la cabane appartient à M, elle aussi !

Tom passe doucement son doigt sur la lettre scintillante et sent comme un picotement sur sa peau.

Un souffle de vent agite les feuilles.

– Allons-nous-en, décide Tom.

Il attrape son sac à dos. Il suit Léa, qui descend par l'échelle.

Au moment où il pose le pied dans l'herbe, il entend quelque chose remuer tout près, dans les buissons.

Il lance :

– Qui est là ?

Pas de réponse.

Tom déclare à haute voix :

– Je vais rapporter le médaillon ! Et aussi le marque-page ! Demain ! Promis !

– À qui tu parles ? s'étonne Léa.

– J'ai l'impression que M est par là, tout près, chuchote Tom.

Sa sœur ouvre de grands yeux :

– On devrait peut-être le chercher ?

La voix de leur mère s'élève alors au loin :

– Tom ! Léa !

C'est l'heure de rentrer. Les deux enfants soupirent.

– Demain ! décide Tom. On le cherchera demain.

– Oui, demain ! approuve Léa.

À suivre...

Découvre vite la suite
des aventures de Tom et Léa dans
Le trésor des pirates.

La Cabane magique

propulse
Tom et Léa
au temps des pirates

À Andrew Kim Boyce.

Titre original : *Pirates Past Noon*
© Texte, 1994, Mary Pope Osborne.
Publié avec l'autorisation de Random House Children's Books,
un département de Random House, Inc., New York, New York, USA.
Tous droits réservés.
© 2002, Bayard Éditions Jeunesse pour la traduction française
et les illustrations.

Le trésor
des pirates

Mary Pope Osborne

Traduit et adapté de l'américain
par Marie-Hélène Delval

Illustré par Philippe Masson

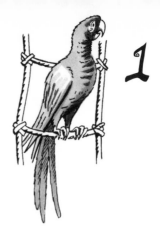

(numéro 1)

Trop tard !

Derrière les carreaux de sa fenêtre, Tom regarde tomber la pluie.

Sa petite sœur Léa affirme :

– Ça va s'arrêter ! À la télé, ils ont annoncé qu'il pleuvrait seulement jusqu'à midi.

– Il est bientôt deux heures, grommelle Tom.

– Mais on avait dit qu'on irait à la cabane ! Je ne sais pas pourquoi, j'ai l'impression que M y sera, aujourd'hui !

Tom remonte ses lunettes sur son nez sans répondre. Il n'est pas absolument sûr de

vouloir rencontrer le mystérieux propriétaire de la Cabane magique.

– On y va, on y va ! chantonne Léa.

Celle-là, quand elle a une idée en tête !

Tom soupire :

– D'accord. Mets tes bottes et ton ciré.
J'emporte le médaillon et le marque-page,
j'ai promis de les rapporter.

Tom les fourre dans son petit sac à dos
sans oublier son carnet et un stylo.
Il note toujours les choses importantes, pour ne pas les oublier.

En bas des escaliers, Léa crie :

– Je suis prête !

Tom se dépêche de des-
cendre. Sa sœur est déjà
dehors. Il enfile son ciré et
ses bottes, jette son sac sur
son dos, et sort à son tour.
Le vent souffle en rafales.
Tête baissée, les enfants

foncent sous la pluie. Ils arrivent bientôt dans le bois de Belleville.

Les branches chargées d'eau s'agitent et leur envoient de grosses gouttes dans la figure. Ils sautent entre les flaques, sur le chemin détrempé. Enfin, les voilà au pied du chêne.

Au sommet, la cabane les attend, à moitié cachée derrière le feuillage. Elle paraît bien triste et bien solitaire, par cette sombre journée ! L'échelle de corde se balance dans le vent. Tom pense à tous ces livres, là-haut. Pourvu qu'ils ne soient pas mouillés !

– M n'est pas loin, murmure Léa. Je le sens !

Tom regarde autour de lui, un peu inquiet. Mais il ne voit personne.

Léa commence à grimper, et Tom la suit.

Il fait froid et humide dans la cabane. Heureusement, les livres sont secs. Léa se dirige vers ceux qu'elle a empilés dans un coin, la veille. Il y a le livre sur les dinosaures[1], celui sur les châteaux forts[2], et celui sur les pyramides[3]. Chacun de ces livres les a emportés dans un extraordinaire voyage à travers le temps et l'espace !

– Et voilà le livre avec la photo du bois de Belleville, dit Léa.

Celui-là, il est précieux ! Il a permis aux enfants de retrouver leur maison après chacune de leurs aventures !

Mais il reste deux questions importantes à résoudre : Qui est le mystérieux M à qui appartiennent la cabane et les livres ? Le ptéranodon, le chevalier et le chat connaissent-ils cette personne ?

1. Lire le tome 1, *La vallée des dinosaures.*
2. Lire le tome 2, *Le mystérieux chevalier.*

Tom soupire. Il sort de son sac le médaillon et le marque-page ; il les pose en évidence, à côté du grand M doré qu'ils ont découvert hier sur le bois du plancher.

Le vent souffle et envoie des paquets d'eau par la fenêtre.

– Elle n'est pas très confortable, aujourd'hui, la cabane ! grogne Léa.

Tom approuve. Il est mouillé, et il a froid.

– Tiens ! s'exclame la petite fille en désignant un livre ouvert, dans un coin. Celui-là, c'est peut-être M qui l'a ouvert à cette page !

Elle ramasse le livre et regarde l'image :

– Ouais ! L'endroit a l'air super !

3. Lire le tome 3, *Le secret de la pyramide.*

Elle montre l'image à Tom. On y voit une plage ensoleillée, et un magnifique bateau, voiles déployées, naviguant sur une mer très bleue. Au premier plan, un perroquet vert est perché sur une palme.

Une rafale secoue la cabane, et la pluie tambourine plus fort sur le toit. Quel sale temps !

Léa pose son doigt sur l'image et s'exclame :

– Que j'aimerais être sur cette plage, au soleil !

– Moi aussi, renchérit Tom, mais où est-elle, ta plage ?

Au même instant, le vent hurle. Les feuilles frémissent. La cabane se met à tourner.

– Oh non ! gémit Tom. Pourquoi tu as dit ça, Léa ? On ne sait même pas où la cabane nous emporte !

La cabane tourne plus vite, encore plus vite, de plus en plus vite. Elle tourbillonne comme une toupie folle.

Tom et Léa se cramponnent l'un à l'autre en fermant les yeux.

Puis tout s'arrête, tout se calme.

Tom ouvre les yeux. Il murmure :

– On n'aurait pas dû...

– Trrrrop tarrrrrd ! lance une voix rauque.

Tom et Léa tournent la tête. C'est le perroquet, le perroquet de l'image ! Il est là, devant la fenêtre, perché sur une large palme verte.

– Un perroquet qui parle ! s'écrie Léa. Comment tu t'appelles, toi ?

– Trrrrrop tarrrrrd ! répète l'oiseau vert.

– Tu n'as pas de nom ?

Le perroquet la fixe de son œil rond.

– Bon, décide la petite fille. On va dire que tu t'appelles Jacquot. Tu veux bien, Jacquot ?

– Trrrrop tarrrrrd ! répond Jacquot.

2

Un drapeau noir

Un chaud soleil entre par la fenêtre de la cabane. On entend le bruit des vagues.

Tom et Léa se penchent au-dehors. La cabane est perchée en haut d'un palmier. Au loin, la mer est d'un bleu profond. Un beau vaisseau vogue majestueusement à l'horizon. Il ressemble exactement à celui du livre.

– Trrrrrop tarrrrrd ! croasse encore Jacquot en s'envolant.

Il décrit plusieurs cercles au-dessus du palmier, puis il plonge vers l'océan.

– Viens, Tom ! s'écrie Léa. On le suit ! On va dans l'eau !

Elle ôte son ciré et le lance dans un coin.

– Une minute, dit Tom. Jetons d'abord un coup d'œil sur le livre. On ne sait même pas où on est !

– Tu le liras sur la plage, ton livre, rouspète Léa.

Sans même regarder le titre de la couverture, elle prend l'ouvrage des mains de son frère et le fourre dans le sac à dos.

Tom doit reconnaître que cette eau bleue est bien attirante.

– D'accord, soupire-t-il, on y va !

Il enlève son ciré, lui aussi, le plie soigneusement et le pose près du tas de livres.

– Dépêche-toi ! le houspille sa sœur en lui tendant son sac à dos.

Ils descendent par l'échelle de corde.

À peine arrivée sur le sable, Léa se met à courir vers la mer. Tom lui crie :

– Tes bottes !

– Elles sècheront tout à l'heure !

Tom s'approche. Il pose son sac sur le sable. Il enlève ses bottes et ses chaussettes. Il roule le bas de ses jeans. Il avance un peu et laisse les vagues lui mouiller les pieds.

L'eau est tiède, et si claire que Tom voit des coquillages et des petits poissons qui filent entre ses jambes. Les mains en visière pour se protéger du soleil, il regarde le voilier avancer vers la côte.

– Où est Jacquot ? demande Léa.

Tom lève la tête et cherche autour de lui. Aucune trace du perroquet.

Le voilier n'est plus très loin, maintenant. Tom plisse les yeux. Il distingue un drapeau flottant en haut du grand mât. C'est un drapeau noir. Un crâne et deux os croisés sont dessinés dessus.

– Oh non ! souffle Tom en reculant d'un pas.

Un frisson lui passe le long du dos.

– Léa, lance-t-il, reviens vite !

– Qu'est-ce qui se passe ?

Tom ne répond pas. Il sort le livre de son sac à dos.

Agenouillé sur le sable, il contemple la couverture d'un air consterné. Léa l'a rejoint et se penche derrière lui.

– Aïe, aïe, aïe ! lâche-t-elle, en lisant le titre par-dessus son épaule :

Les Pirates des Caraïbes

Trois hommes dans une barque

Léa fait la brave. Elle glousse :

– Des pirates ? Comme dans *Peter Pan* ? On va peut-être rencontrer le capitaine Crochet ?

– Sauf qu'on n'est pas dans un dessin animé, grommelle Tom.

Il cherche la page où l'on voit le bateau sur la mer et le perroquet perché dans le palmier. Il lit :

Les pirates attaquaient les vaisseaux espagnols qui transportaient de l'or dans la mer des Caraïbes.

– Je vais noter ça !

Il prend son carnet et son stylo, et il écrit :

Des pirates
dans les Caraïbes

Il tourne les pages du livre et découvre une image représentant un drapeau pirate. Il lit :

Le drapeau à tête de mort sur deux tibias croisés était appelé « le Pavillon Noir ».

– Si on rentrait à la maison ? propose Léa, d'une petite voix.

– Une minute, dit Tom. Je vais dessiner le drapeau dans mon carnet.

Sa sœur hausse les épaules :

– Prends au moins le vrai pour modèle, au lieu de recopier le dessin du livre !

Mais Tom remonte ses lunettes sur son nez et commence à griffonner.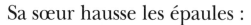

– Tom, l'avertit Léa, des pirates sont en train de quitter le bateau ! Ils descendent dans une barque !

Le garçon continue de dessiner.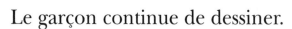

– Tom, les pirates rament droit sur nous !

– Quoi ?

– Regarde !

Tom lève la tête. Il voit la barque se diriger vers le rivage. Il murmure :

– On ferait mieux de retourner à la cabane !

– Courons ! s'exclame Léa en partant à fond de train.

Tom saute sur ses pieds. Ses lunettes tombent dans le sable. Allons bon, où sont-elles ? Il s'accroupit, tâtonne autour de lui. Là ! voilà leur monture qui brille !

Tom ramasse ses lunettes, les remet sur son nez.

– Dépêche-toi ! crie Léa.

Il jette dans son sac son carnet et son stylo. Il met le sac sur son dos. Il attrape ses bottes et ses chaussettes. Et il s'élance.

– Vite, Tom !

Ils arrivent !

Léa est en haut de l'échelle. Tom se retourne. La barque des pirates n'est plus qu'à quelques mètres du rivage. Soudain, Tom aperçoit le livre. Dans son affolement, il l'a oublié là-bas, sur le sable !

– Oh non !

Il laisse tomber ses bottes et ses chaus-settes au pied du palmier, et il repart à toutes jambes.

– Tom ! crie Léa. Mais qu'est-ce que tu fabriques ?

– Je vais chercher le livre !

– Tu es complètement fou ! Reviens !

Tom est déjà au bord de l'eau. Il attrape le livre.

– Reviens ! s'égosille Léa.

Tom fourre le livre dans son sac à dos. Au même moment, une grosse vague porte la barque en avant.

– Cours, Tom !

Les trois pirates sautent de la barque dans un grand bruit d'éclaboussures.

Ils ont des couteaux entre les dents, des pistolets à la ceinture. Ils foncent sur Tom comme des vautours sur un poulet.

– Cours ! Mais cours ! s'affole Léa.

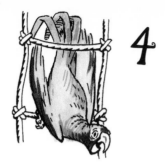

4

De l'or !

Tom n'a jamais couru aussi vite de sa vie !
Mais les pirates sont plus rapides que lui.
En trois enjambées, le plus grand d'entre
eux l'a rattrapé.

Tom a beau se débattre, le pirate lui em-
prisonne le bras dans son énorme main. Il
rit, d'un mauvais rire. Sa barbe noire est
en broussaille, l'un de ses yeux est couvert
d'un bandeau noir.

Il a vraiment une sale tête !

Tom entend sa sœur hurler. À quoi elle
joue, cette folle ? Oh non ! Elle redescend

par l'échelle ! Il lui crie :

– Léa ! Reste où tu es !

Mais Léa n'écoute pas. Elle fonce sur le pirate en serrant les poings :

– Lâchez mon frère, espèce de gros lard !

Les deux autres pirates regardent la scène en riant.

– Lâchez-le ! répète Léa.

Elle bourre le grand pirate de coups de pied et de coups de poing. Celui-ci se contente de grommeler. Il attrape la petite fille. Il soulève les deux enfants comme s'ils n'étaient pas plus lourds que des chatons.

– Personne n'échappe au Capitaine Bones ! rugit-il.

– Lâchez-nous ! couine Léa.

Le pirate la regarde avec une grimace qui découvre ses vilaines dents noires. Puis il ordonne à ses matelots :

– Allez voir un peu ce qu'il y a dans cette cabane, vous deux !

– Ouais, Cap'taine !
Tout de suite, Cap'taine !
Ils partent au trot, grimpent à l'échelle comme
des singes, et disparaissent
dans la cabane.

– Alors ? beugle le capitaine Bones. Vous trouvez quelque chose ?
L'un des pirates passe la
tête par la fenêtre :
– Des livres, Cap'taine !
– Argh ! Des livres !

Le pirate crache de dégoût, puis il beugle de nouveau :

– De l'or, bande de chiens ! Je veux de l'or !

– Les chiens sont plus gentils que vous ! rouspète Léa.

– Tais-toi ! souffle Tom.

L'autre matelot passe la tête à son tour :

– Y a rien que des livres, Cap'taine !

Soudain, Bones avise le sac à dos de Tom :

– Qu'est-ce que tu caches là-dedans, petit morveux ?

– Rien... rien ! balbutie Tom. Juste mon carnet, mon stylo, et un livre.

– Argh ! Qu'on ne me parle plus de livres !

À cet instant, l'un des matelots crie :

– Cap'taine ! Regardez ce que j'ai trouvé !

Penché à la fenêtre de la cabane, il tient un objet qui scintille dans le soleil.

Le médaillon ! « Oh non ! » pense Tom.

– Vous n'avez pas le droit ! crie Léa. Ce n'est pas à vous !

– Envoie ! ordonne le pirate.
Il lâche les enfants et tend
les mains pour attraper le
médaillon.

– De l'or, de l'or, de
l'or ! braille-t-il.
Il renverse
la tête en
arrière,
et il éclate
d'un rire
tonitruant.
Sortant deux
pistolets de sa
ceinture, il tire en l'air
pour célébrer sa trouvaille tandis que ses
deux matelots poussent des ululements
de sauvages.

5

Le trésor du capitaine Kidd

Tom et Léa ouvrent de grands yeux. Les pirates sont devenus fous !
Lentement, prudemment, les deux enfants reculent, ils s'approchent de l'échelle.
– Halte ! rugit soudain le capitaine en braquant sur eux ses pistolets. Plus un geste, petits vauriens !
Tom et Léa se figent.
Le pirate leur adresse un affreux sourire :
– Maintenant, vous allez avouer gentiment au brave capitaine Bones où vous avez caché le reste ! Sinon...

– Le... le reste ? bredouille Léa. Quel reste ?

– Le reste du trésor ! beugle le capitaine. Je sais qu'il est sur cette île ! J'ai une carte, figurez-vous !

Il sort de sa ceinture un rouleau de papier à moitié déchiré et le brandit d'un air triomphant.

– C'est la carte d'une île au trésor ? s'enquiert Tom, brusquement intéressé.

– Ouais ! C'est la carte qui indique où se trouve le trésor du grand capitaine Kidd !

– En ce cas, déclare Tom, c'est facile : vous n'avez qu'à lire la carte !

– Toi, tu vas la lire ! gronde le capitaine en agitant le papier sous le nez de Tom.

En bas de l'image représentant l'île, Tom voit une ligne écrite en curieux caractères d'autrefois. Il demande :

– Qu'est-ce que ça veut dire, cette phrase ?

– Quelle phrase ?

– Ces mots, là !

La baleine a un œil d'or.

Le capitaine regarde la carte en fronçant ses gros sourcils :

– Eh bien, ça veut dire..., euh...

Il plisse les yeux, il se frotte le nez, il tousse.

– Laissez tomber, Cap'taine ! ricane le premier matelot.

– Vous ne savez pas lire, Cap'taine ! raille le second matelot.

– Silence ! rugit le capitaine.

– Tom et moi, on sait lire ! déclare Léa.

– Tais-toi, idiote, lui lance Tom.

– On a de la chance, Cap'taine ! rigole le premier matelot. Les mômes vont nous la lire, votre carte !

Le capitaine Bones lui jette un regard noir. Mais il tend la carte aux enfants en aboyant :

– Lisez !

– Si on lit, vous nous laisserez partir ? demande Tom.

Le pirate cligne de son unique œil :

– Juré, gamin ! Tu me trouves le trésor, et tu es libre !

– Marché conclu, dit Tom. Je vais vous lire ce qui est écrit sur la carte.

Il se penche et déchiffre :
La baleine a un œil d'or.

– Hein ? fait le capitaine. Qu'est-ce que c'est que ce charabia ?

Tom hausse les épaules :

– Je ne sais pas, moi !

– Bien sûr que si, tu le sais ! beugle le pirate.

Il se tourne vers ses hommes et ordonne :

– Qu'on emmène ces deux moucherons au bateau ! Qu'on les suspende à la vergue jusqu'à ce qu'ils parlent !

Les matelots attrapent les enfants et les jettent dans la barque comme des sacs de linge sale.

– C'est quoi, la vergue ? demande Léa tout bas.

– C'est un truc sur le mât où on accroche la voile, répond Tom tout aussi bas.

Les vagues s'écrasent contre la coque de la petite embarcation. Le ciel s'est assombri, et le vent s'est levé. On dirait qu'une tempête se prépare.

– Ramez, chiens ! ordonne le capitaine à ses matelots.

Ils obéissent, et la barque vogue vers le grand navire.

– Tom, regarde ! murmure soudain Léa, en désignant le rivage qui s'éloigne.

Là-bas, le perroquet vert survole la plage. Il s'élance vers la mer.

Léa chuchote à l'oreille de son frère :

– Je crois qu'il veut nous aider !

Mais le vent est trop fort. Le perroquet abandonne et retourne vers l'île.

6

L'œil de la baleine

La barque est ballottée par les vagues. Des paquets d'eau salée s'abattent à l'intérieur. Tom a le mal de mer.

– Ramez, chiens ! hurle le capitaine à ses matelots. Ramez si vous ne voulez pas servir de déjeuner à ces gentilles petites bêtes !

Il désigne la surface des flots, d'où émergent des ailerons noirs. Des requins !

L'un d'eux nage si près de la barque que Tom pourrait le toucher en tendant la main. Un frisson glacé lui passe dans le dos. Il s'accroche de toutes ses forces. Ce n'est vrai-

ment pas le moment de tomber à la mer !
Enfin, la barque se range le long de la
coque du grand navire. Tom lève les
yeux. Du pont lui parviennent des airs
de cornemuse, des chants
grossiers et des rires.

– Hissez-moi ces deux loustics à bord ! crie le capitaine à ses hommes.

Tom et Léa sont jetés sans ménagement sur le pont. Le navire tangue, les mâts craquent. Les cordages claquent dans le vent. Les pirates sont sales et vêtus de loques. Ils chantent, ils boivent. Certains se bagarrent à coups de poing.

– Enfermez les gosses dans ma cabine, ordonne le capitaine.

Deux pirates à mine patibulaire se saisissent des enfants et les poussent dans une chambre sombre. Ils referment la porte et tirent le verrou.

La cabine est humide et malodorante. Un vague rayon de lumière passe par un hublot.

– Il faut absolument trouver un moyen de retourner sur l'île ! soupire Tom.

– Tu as raison ! approuve Léa. Alors, on grimpera dans la cabane, et on reviendra à la maison !

– C'est ça, soupire encore Tom.

Il se sent terriblement fatigué, tout à coup. Fatigué et découragé. Comment vont-ils se sortir de là ?

– On devrait jeter un œil sur le livre, décide-t-il. On trouvera peut-être quelque chose...

Il fouille dans son sac et en tire le livre. Il le feuillette. Il tombe sur une gravure représentant des pirates en train d'enterrer un coffre. Sous la gravure, le texte dit :

Le capitaine Kidd fut un pirate célèbre. On raconte qu'il enterra un coffre rempli d'or et de bijoux sur une île déserte.

– Le capitaine Kidd ! s'écrie Tom. Il a donc bien existé !

Léa regarde par la fenêtre à petits carreaux. L'île est si loin !

– Donc, dit-elle, le trésor du capitaine Kidd est quelque part sur cette île !

Tom ouvre son carnet et il écrit :

Le capitaine Kidd
a enterré un trésor.

– Hé, Tom ! appelle Léa.
– Une minute, je réfléchis.
– Tu sais ce que je vois ?
– Quoi ? fait Tom, distraitement.
– Une baleine !
– Super !
Brusquement, Tom se redresse :
– Hein ? Une baleine ?
– Oui, une baleine. Une énorme baleine !
Aussi grande qu'un terrain de football !
Tom saute sur ses pieds et rejoint sa sœur
devant la fenêtre :
– Où ça ?
– Là-bas !
Tout ce qu'il voit, c'est une mer démontée ;
l'île, au loin ; et des nageoires de requins.

– Mais où ?

– Là-bas, je te dis ! L'île ! Elle a la forme d'une baleine !

Léa a raison. Voilà le dos, la queue. Et, devant, la tête. Le palmier où est perchée la cabane magique ressemble au jet d'eau craché par une baleine.

– Et son œil, dit Léa, tu le vois ?

Oui, Tom le voit. C'est un gros rocher noir et rond. *La baleine a un œil d'or.* Bien sûr, c'est ça ! Le trésor est caché sous le rocher noir !

7

Dans la tempête

– Bon, décide Tom. Voilà ce qu'on va faire. On va dire au capitaine qu'on peut lui montrer où se trouve le trésor, s'il nous ramène sur l'île. Et pendant que les pirates creuseront, on filera en douce et on grimpera dans la cabane !

– On est sauvés.

Tom tambourine contre la porte en criant :

– Capitaine Bones ! Ouvrez-nous !

Derrière la porte, des pirates reprennent son appel :

– Cap'taine ! Cap'taine !

– Quoi ? rugit la terrible voix du pirate.

Le verrou cliquette. La porte s'ouvre, et la face barbue du capitaine apparaît. Son œil unique fixe Tom d'un air mauvais :

– Qu'est-ce qu'il y a, moussaillon ?

– On veut vous parler, Capitaine ! On sait où est caché le trésor du capitaine Kidd !

– Ah oui ? Où ça ?

– On ne peut pas vous le dire, intervient Léa. Il faut qu'on vous le montre !

Le pirate les regarde l'un après l'autre, soupçonneux.

– Il vous faut une corde, dit Tom.

– Et des pelles ! ajoute Léa.

Le capitaine grommelle quelque chose dans sa barbe. Puis il aboie :

– Apportez une corde et des pelles !

– Ouais, Cap'taine !

– Et jetez ces deux loustics dans la barque ! On retourne sur l'île !

– Ouais, Cap'taine !

Le ciel s'est chargé de lourds nuages noirs, et le vent souffle avec violence. D'énormes vagues font tanguer la barque.

– On va avoir un coup de chien ! dit l'un des matelots.

– Pour sûr ! dit l'autre.

Le capitaine Bones se met à hurler :

– C'est vous, les chiens ! Et les coups, vous les prendrez si vous ne me trouvez pas d'or ! Ramez !

Enfin, la barque accoste. Les pirates sautent sur le rivage.

Le capitaine empoigne Tom et Léa et gronde :

– Allons-y, moussaillons ! Montrez-moi la cachette du trésor !

Léa désigne du doigt le gros rocher noir, à la pointe de l'île :

– Il est là !

– Sous le rocher ! ajoute Tom.

Le pirate traîne les deux enfants jusque-là.

Puis il lance à ses matelots :

   – Au boulot, chiens ! Bougez-moi ce
   rocher !

      – Vous n'allez pas les aider ?
      s'étonne Léa.

         – Hein ? Moi ?

Tom a la bouche sèche, soudain. Si le capitaine garde ses énormes mains refermées sur leurs bras, impossible de lui échapper !

Il suggère :

– À trois, vous iriez plus vite !

Un affreux sourire découvre de nouveau les vilaines dents noires du pirate :

– Tu voudrais que je vous lâche, hein, petite crapule ! Pas question ! Pas avant d'avoir le trésor à mes pieds !

8

Le coffre au trésor

Le vent hurle, le ciel est noir.

Les deux matelots nouent la corde autour du rocher et se mettent à tirer.

Ils tirent, ils tirent. Rien ne bouge.

– Plus fort, bande de mauviettes ! rugit le capitaine.

– Je crois qu'ils ont besoin d'aide, insiste Tom.

– Ces chiens ne se donnent pas assez de mal, c'est tout !

– Vous n'êtes pas très gentil avec vos hommes, je trouve ! déclare Léa.

– Hein ? Pas gentil, moi ? Le capitaine Bones n'est pas gentil ?

Le terrible rire du pirate se mêle aux hurlements du vent. Au même moment, l'un des matelots s'écrie :

– On y est, Cap'taine !

Le gros rocher vient de rouler sur le sable.

– Maintenant, déclare Tom, vous devez creuser ! Tous !

– Creusez, chiens, beugle le capitaine sans lâcher les enfants.

Les matelots obéissent. Autour d'eux, le vent souffle maintenant en tempête, soulevant des tourbillons de sable.

– Aïe ! crie l'un des matelots, j'ai du sable dans les yeux !

– Ouille ! gémit l'autre, moi, j'ai mal au dos !

– Creusez !

Agrippant d'une seule main Tom et Léa, le capitaine tire de sa poche le médaillon et le jette dans le trou :

– Creusez, et trouvez-moi de l'or comme ça ! Beaucoup d'or !

– Parrrrrrtez ! lance une voix rauque au-dessus de leur tête.

Jacquot est de retour !

– Parrrrrtez ! répète le perroquet, en décrivant de grands cercles.

Ses plumes vertes luisent sur le ciel noir. Il bat des ailes pour lutter contre le vent.

Les deux matelots l'observent du coin de l'œil, inquiets :

– Cet oiseau, c'est un mauvais présage, Cap'taine !

– La tempête fond sur nous, Cap'taine !

– Creusez, chiens ! Trouvez-moi de l'or ! hurle le capitaine Bones.

– Parrrrrtez ! croasse le perroquet.

– Il va nous arriver malheur, Cap'taine ! gémit le premier matelot.

– On ferait mieux de retourner au bateau ! crie le second.

Les deux pirates abandonnent leurs pelles, et ils courent à toutes jambes vers la barque.

– Revenez, traîtres ! Bande de lâches ! beugle le capitaine, furibond.

Entraînant Tom et Léa avec lui, il se lance à la poursuite des fuyards. Mais ceux-ci ont déjà traversé la plage. Ils poussent la barque à l'eau.

– Arrêtez !

Les deux hommes sautent dans la barque et se mettent à ramer.

– Attendez-moi !

Le capitaine Bones lâche les enfants. Il patauge dans l'eau.

– Attendez-moi, chiens !

Il réussit à saisir le rebord de la barque et se hisse dedans. Les trois pirates s'éloignent et disparaissent dans leur embarcation ballottée par les vagues.

– Parrrrrtez ! ordonne de nouveau l'oiseau.

– C'est à nous qu'il parle ! comprend alors Léa.

La tempête se déchaîne sur l'île. Le vent souffle en rafales, la pluie tombe à verse.

– Filons ! crie la petite fille. Retournons à la cabane !

– Attends, proteste Tom. On ne peut pas partir sans le médaillon !

Il court jusqu'au trou creusé par les pirates. Le médaillon est là, luisant dans l'obscurité.

D'énormes gouttes de pluie s'écrasent dans le fond du trou, y creusent des rigoles. Tom distingue sous le sable un morceau de bois. La pluie entraîne le sable et dégage peu à peu quelque chose qui ressemble à... Un coffre ! C'est le couvercle d'un coffre !

Tom se penche, les yeux écarquillés. Serait-ce le trésor du capitaine Kidd ?

– Dépêche-toi, Tom ! le presse Léa, déjà arrivée à mi-chemin du palmier où pend l'échelle de corde.

– J'ai trouvé ! annonce Tom. J'ai trouvé le coffre au trésor !

– Laisse le coffre tranquille, Tom ! Il faut qu'on parte ! La tempête se déchaîne !

Tom n'arrive pas à détacher son regard du couvercle de bois. Qu'y a-t-il dessous ? De l'or ? Des bijoux ? Des pierres précieuses ?

– Tu viens, Tom ?

Léa a grimpé dans la cabane. Elle appelle son frère par la fenêtre.

Mais Tom ne se décide pas à partir. Il enlève du

couvercle les dernières traces de sable mouillé.

– Tom ! s'effraie Léa. La tempête secoue le palmier ! La cabane va tomber ! Laisse ce coffre ! On n'a pas besoin de trésor !

– Parrrrrrtez ! lance Jacquot.

Tom lève les yeux.

Le perroquet est perché sur un rocher. Il fixe le garçon de ses petits yeux brillants. Et Tom a l'impression que ce n'est pas un oiseau, mais quelqu'un qui le regarde.

Il soupire, passe une dernière fois la main sur le couvercle du coffre au trésor. Il prend le médaillon. Puis il sort du trou et galope vers le palmier.

Ses bottes et ses chaussettes sont toujours au pied de l'échelle. Il les ramasse au passage et les fourre dans son sac à dos.

L'échelle de corde s'agite furieusement dans le vent. Tom l'attrape et commence à grimper. Il est secoué, balancé, mais il tient bon. Enfin, il s'affale sur le plancher de la cabane.

– Partons vite ! lâche-t-il, à bout de souffle.

Léa tient déjà le livre ouvert à la bonne page. Elle pose le doigt sur l'image du bois de Belleville et prononce la phrase magique :

– Nous souhaitons revenir à la maison ! Tout de suite !

La tempête rugit encore plus fort. La cabane se met à tourner, vite, plus vite, de plus en plus vite.

Puis le tourbillon s'arrête.

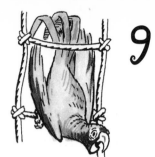

9

Le M
mystérieux

Plic, ploc.

Tom ouvre les yeux. Ce petit bruit, ce sont des gouttes qui tombent des feuilles mouillées. Tom et Léa sont de retour. La pluie a presque cessé, le vent n'est plus qu'une brise légère, l'air est frais.

– Ouf ! souffle Tom. Il était moins une !

Il tient toujours le médaillon serré dans sa main.

– On n'a pas dit au revoir à Jacquot ! regrette Léa. J'aurais bien aimé le ramener à la maison !

– Les créatures magiques ne peuvent pas nous suivre dans notre monde, affirme Tom.

Il ôte son sac à dos trempé. Il en sort le livre sur les pirates et va le poser en haut de la pile, sur celui des dinosaures. En dessous, il y a celui sur les chevaliers et celui sur les pyramides.

Tom regarde les autres livres, par terre. Il se demande s'il a envie de faire un autre voyage dans le temps...

Tout à coup, il aperçoit quelque chose de blanc, sur un gros volume recouvert de vieux cuir. Il s'approche. C'est un mouchoir. Tom le ramasse, le cœur battant. Il le déplie, et... Oui ! Dans un coin du mouchoir, un M est brodé !

– Léa ! Regarde ce que j'ai trouvé !

– C'est un mouchoir de dame, ça ! s'écrie Léa, tout excitée. Alors, M est sûrement une dame ! Quel dommage qu'on ne l'ait pas rencontrée !

– Une autre fois, peut-être, murmure Tom.
Il va poser le médaillon à côté du marque-
page, près du grand M dessiné sur le plancher. Il passe doucement son doigt sur la
belle lettre dorée. Il dit :

– Je vais laisser le mouchoir ici, pour que la dame le retrouve quand elle viendra dans sa cabane.

Il le plie soigneusement de façon que la lettre brodée soit sur le dessus, et le dépose près du médaillon.

À cet instant, une voix rauque lance :

– Bonjourrrrrrr !

– Jacquot ! s'écrie Léa.

Le perroquet entre par la fenêtre. Il se perche sur la pile de livres. Il fixe Tom de ses petits yeux ronds.

– Que... Qu'est-ce que... Comment es-tu arrivé là ? bégaie le garçon.

Le perroquet ouvre lentement ses ailes. Elles s'allongent, s'étendent, se déploient, et, dans un tourbillon de couleurs et de lumière, une nouvelle silhouette se dessine.

Ce n'est plus un oiseau, c'est une femme. Une très belle vieille femme, avec de longs

cheveux blancs. Elle porte une large cape de plumes vertes et scintillantes. Elle est assise sur la pile de livres, immobile.

Les deux enfants sont si stupéfaits qu'ils restent muets.

– Bonjour, Tom. Bonjour, Léa, dit la vieille femme. Mon nom est Morgane. Je suis Morgane, la fée.

10

Comme de l'or

Léa ouvre des yeux émerveillés. Elle souffle :

– M, comme Morgane !

– Exactement, dit la fée. M est la première lettre de mon nom.

Tom balbutie :

– Et d'où... d'où..., vous... vous..., d'où venez-vous ?

– As-tu entendu parler du roi Arthur ? demande Morgane.

Tom fait signe que oui.

– Eh bien, je suis la sœur du roi Arthur.

– Vous venez du château de Camelot ! s'en-
flamme Tom, retrouvant enfin ses esprits.
J'ai lu beaucoup de choses sur le roi Arthur et les chevaliers de la Table Ronde !

– Et qu'as-tu appris sur moi ?

– Que vous êtes... euh, une sorcière.

Morgane sourit :

– Il ne faut pas croire tout ce que tu lis, Tom.

– Mais vous êtes bien une magicienne ?
s'assure Léa.

– Disons plutôt une enchanteresse. Mais
je suis aussi bibliothécaire. Quelle chance
vous avez d'être nés à une époque où il y
a tant et tant de livres ! C'est pourquoi je
suis venue dans votre siècle : pour réunir
une collection.

– Pour la bibliothèque du château de
Camelot ? demande Tom.

– Exactement. Grâce à ma cabane magique,
je voyage de pays en pays et de siècle en
siècle.

– Et vous avez trouvé des livres intéressants, chez nous ?

– Oh oui ! Des livres merveilleux ! Nos copistes les recopieront.

– C'est vous qui avez mis des signets ? demande encore Tom.

– C'est moi. Ils marquent les pages représentant des lieux que je désire visiter.

Tom ramasse alors le médaillon et le tend à la fée :

– Tenez ! Vous avez laissé tomber ceci au temps des dinosaures.

– Oh, merci ! Je me demandais où je l'avais perdu ! Je suis tellement étourdie !

– Ça, c'est vrai, remarque Léa. Vous aviez aussi oublié votre mouchoir dans la cabane !

– Vraiment ? dit Morgane, malicieuse.

« Je parie qu'elle l'a fait exprès ! pense Tom. Pour nous laisser un indice ! »

Léa pose une question qui la turlupine :

– Alors, n'importe qui peut voyager avec la cabane ? Il suffit de prononcer un vœu ?

– Bien sûr que non ! s'écrie Morgane. Vous êtes les seuls ! Avant vous, personne n'avait découvert la cabane !

– Elle est invisible ? demande Léa.

– C'est ce que je pensais. Et puis vous êtes venus. Et vous êtes entrés dans le monde magique.

– Mais... comment cela est-il possible ? s'étonne Tom.

Morgane réfléchit. Puis elle déclare :

– Pour deux raisons, je crois. La première, c'est que Léa croit à la magie. Elle a vu la cabane. Et elle t'a fait partager sa vision.

– Ah ! lâche Tom.

– La seconde raison, continue Morgane, c'est que toi, Tom, tu es fou des livres. Et c'est pourquoi la magie a fonctionné.

– Oh ! souffle Léa.

Morgane ajoute :

– Bien sûr, j'aurais pu empêcher la cabane de vous emporter. Elle n'aurait été pour vous qu'une cabane ordinaire avec des livres dedans. Mais j'étais si heureuse de découvrir des enfants qui me ressemblaient, qui aimaient, comme moi, le mystère et la connaissance ! Alors, vous imaginez ma panique quand je vous ai vus en danger au temps des dinosaures ! Je n'allais tout de même pas vous laisser dévorer par un tyrannosaure affamé !

– J'ai compris ! intervient Tom. Le ptéranodon, c'était vous !

– Vous étiez aussi le chevalier et le chat, et le perroquet Jacquot ! s'exclame Léa.

– Oui, oui, dit doucement la fée. Mais je dois m'en aller, maintenant. Le peuple de Camelot a besoin de moi.

– Vous partez ? murmure Tom.

– Il le faut !

La fée leur tend leurs cirés.

– Vous ne nous oublierez pas ? demande Léa en enfilant le sien.

– Jamais ! promet Morgane. Comment pourrais-je oublier des enfants qui ont vécu toutes ces aventures avec moi ?

La fée pose sa main sur le front de chacun d'eux. En souriant, elle murmure :

– Au revoir !

– Au revoir, disent Tom et Léa.

Ils passent par la trappe. Ils descendent l'échelle de corde pour la dernière fois. Arrivés en bas, ils lèvent les yeux vers la cime du chêne. Morgane leur fait signe par la fenêtre. Ses longs cheveux blancs voltigent dans le vent.

Puis le vent souffle plus fort. Les feuilles s'agitent. Un long sifflement retentit, si aigu que Tom se couvre les oreilles de ses mains. Il ferme les yeux.

Puis le silence revient.

Tom ouvre les yeux. La cabane a disparu.

Tom et Léa restent là un long moment, le nez en l'air. Ils écoutent.

Puis Léa pousse un gros soupir :

– Viens, Tom. Allons-nous-en.

Tom hoche la tête. Il est trop triste pour parler. Ils se mettent en route, et Tom fourre les mains dans ses poches. Au fond de l'une d'elles, il sent quelque chose.

– Le médaillon ! souffle-t-il, en le sortant. Comment est-ce que... ?

– C'est sûrement Morgane qui l'a glissé là !

– Mais comment ? Et pourquoi ?

– Magie ! Ça veut dire qu'elle reviendra !

Tom sourit. Il marche en tenant le médaillon bien serré dans sa main.

Il ne pleut plus. Les rayons du soleil se faufilent entre les branches mouillées. Et, soudain, les feuilles, les buissons, l'herbe et les fougères, tout étincelle comme de l'or, comme des joyaux, comme des diamants.

« Léa avait raison, pense Tom. On n'a pas besoin de trésor ! »

Non, ils n'en ont pas besoin ! Le trésor est ici, dans leur bois !

Fin de la première série.

Imprimé en Allemagne par Clausen & Bosse